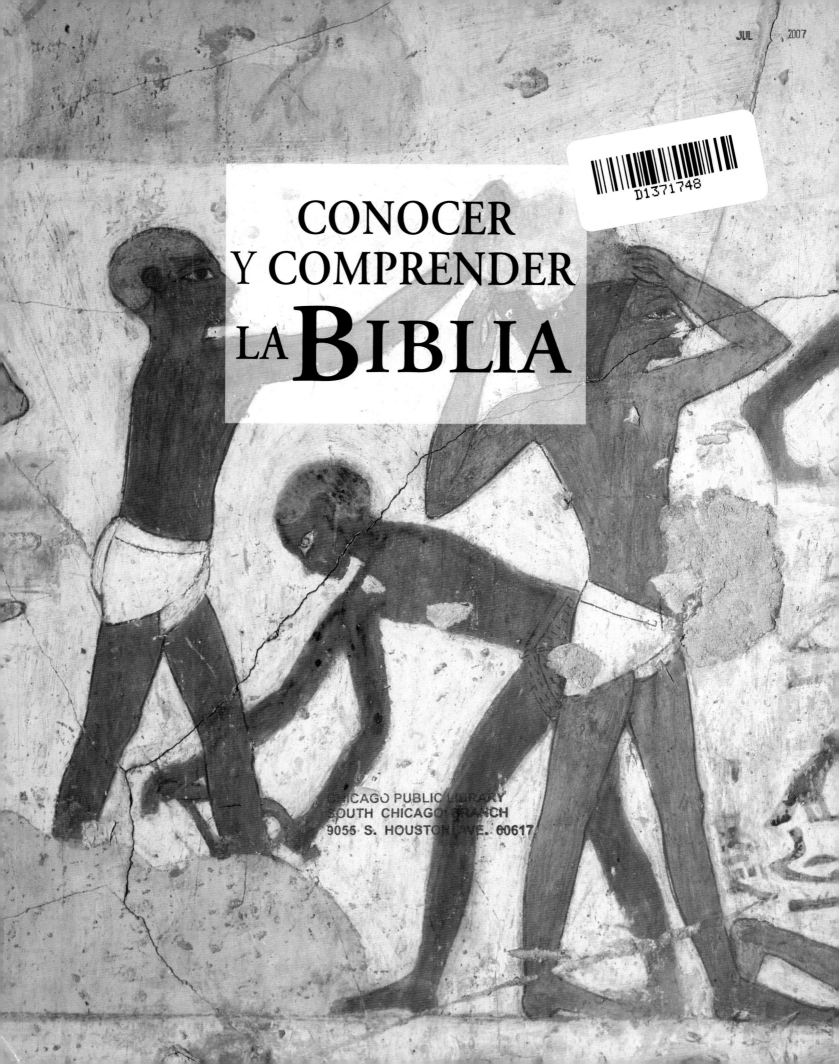

CONOCER Y COMPRENDER LA BIBLIA

CONOCER Y COMPRENDER LA BIBLIA

MARCUS BRAYBROOKE - JAMES HARPUR

**UA
LIBSA**

© 2006, Editorial LIBSA
San Rafael, 4
28108 Alcobendas. Madrid
Tel. (34) 91 657 25 80
Fax (34) 91 657 25 83
e-mail: libsa@libsa.es
www.libsa.es

Traducción: José Miguel Parra Ortiz
Edición: Nuria G. Noceda

© MCMXCIX, Team Media Limited

Título original: *The Essential Atlas of the Bible*

ISBN: 84-662-1362-7

Derechos exclusivos de edición para todos
los países de habla española.

MARCUS BRAYBROOKE es vicario anglicano y copresidente del Congreso Mundial de la Fe. Ha escrito varios libros sobre la Biblia, el judaísmo y las relaciones entre las diferentes creencias. Entre sus obras se cuentan: *Faith in a global Age, How to Understand Judaism* y *Wisdom of Jesus.*

JAMES HARPUR ha escrito y editado varios libros sobre religión y la Biblia, entre ellos: *The Atlas of Sacred Places, Great Events of Bible Times* y *The Journeys of St Paul.* Su interés por lo sagrado se manifiesta también en los dos volúmenes de poesía que ha publicado.

FELICITY COBBING trabaja en la *Palestine Exploration Found* y está especializada en la arqueología del Levante antiguo. Realiza excavaciones arqueológicas en Jordania y ha escrito varios artículos científicos y de divulgación. Ha actuado como asesora en varios libros sobre el Mediterráneo antiguo.

EQUIPO :
Cartógrafos:
   Oxford Cartographers
Ilustrador:
   Roger Hutchins
Autor de la parte del Antiguo Testamento:
   Marcus Braybrooke
Autor de la parte del Nuevo Testamento:
   James Harpur
Asesores:
   Marcus Braybrooke
   Felicity Cobbing

Nota del traductor: Para la traducción de los fragmentos bíblicos citados en la obra se ha utilizado como referencia *Sagrada Biblia. Versión crítica sobre los textos hebreo, arameo y griego,* traducida por Fco. Cantera Burgos y M. Iglesias González, y editada por la Biblioteca de Autores Cristianos en Madrid en el año 2000 en reimpresión de la tercera edición.

SOC
CONTENIDO

$21.00

Relieve de piedra del Arca de la Alianza, procedente de Cafarnaum.

La Biblia y la Tierra Santa

Desde el Génesis hasta el Apocalipsis, la Biblia contiene más de 50 libros (su número varía según las diferentes versiones), repartidos entre el Antiguo y el Nuevo Testamento. El Antiguo Testamento describe los esfuerzos del pueblo judío para encontrar y mantener una patria y detalla sus alianzas con Dios. El Nuevo Testamento recoge la vida y muerte de Jesucristo, cuyos seguidores creían que era el largamente esperado salvador de Israel, o Mesías; luego pasa a relatar la difusión de las enseñanzas de Cristo por parte de Pablo y otros apóstoles de la primitiva Iglesia cristiana.

■ Mas el país por donde vosotros pasáis para poseerlo es un país de montañas y vegas, que se abreva con las aguas de la lluvia del cielo.

Deuteronomio 11, 11

No obstante, la Biblia no presenta un relato histórico lineal de la creación de Israel y su existencia posterior, y tampoco presenta una biografía metódica de Jesús. Los dos Testamentos contienen material variado, en parte histórico, en parte profético o poético y en parte de tono mítico o legendario. Cualquiera que sea la naturaleza de esas narraciones, todas se encuentran localizadas en la tierra que desde el siglo V a.C. se conoce como «Palestina». Una zona que –toda o en parte– recibe también los nombres de Tierra Santa, Tierra Prometida, Canaán, Judea –o Judá– e Israel.

La Tierra Prometida aparece mencionada por primera vez en el Génesis, cuando Abraham es llamado por Dios para que deje su hogar en Mesopotamia y marche hacia Canaán, un país que Dios le promete para él y sus hijos. A cambio, Dios le exige a Abraham y sus descendientes que renuncien para siempre a adorar a otros dioses. La fe de Abraham y su aceptación de esos términos crearon la primera alianza entre el pueblo judío y el Señor.

El Éxodo narra cómo los descendientes de Abraham, los israelitas, escaparon de la esclavitud en Egipto. Dirigidos por Moisés, soportaron un duro viaje por el desierto hasta alcanzar Canaán. Fue allí donde los primeros reyes –Saúl, David y Salomón– crearon el reino de Israel. Esta tierra sería de fundamental importancia para los israelitas a lo largo de toda su historia subsiguiente: su división en los reinos rivales de Israel y Judá, su derrota ante asirios y babilonios, el exilio de los habitantes de Judá y su regreso a una tierra gobernada sucesivamente por Persia, Grecia y Roma.

En la época del Nuevo Testamento, la Tierra Santa fue el telón de fondo de la corta, pero movida, vida de Jesús, durante la cual enseñó a judíos y gentiles que era posible una nueva forma de vida mediante el amor a Dios.

La historia y la Tierra

Cualquier estudio de la Biblia debe comenzar, por lo tanto, conociendo la tierra en la que tuvieron lugar esos dramas, así como con la geografía política del antiguo Oriente Próximo. Palestina se encontraba situada directamente entre las grandes potencias de la época: Egipto (al suroeste) y Mesopotamia (al noreste), y con el tiempo fue invadida alternativamente por ambas.

Dentro de la propia Tierra Santa, los israelitas tuvieron que enfrentarse a la hostilidad de los pueblos indígenas, molestos por su presencia. Además, grupos de exiliados de creencias paganas y asentados en Canaán, procedentes de Asiria y Babilonia, suponían un constante desafío para la fe judía.

Izquierda: Placa de oro procedente de Canaán que muestra influencias egipcias.
Arriba: Moisés hace brotar agua de una roca en el desierto.
Derecha: Panorámica de la tierra de Canaán.

El río Jordán serpentea por el valle hasta el mar de Galilea.

La ciudad de Jerusalén, sagrada para los judíos, cristianos y musulmanes.

La Tierra Santa bíblica era relativamente pequeña, unos 249 kilómetros de longitud desde lo que son las referencias físicas tradicionales: Dan (en el norte) y Beersheba (en el sur). Su anchura, desde el valle del Jordán (en el este) hasta el Mediterráneo (en el oeste) variaba entre los 50 y los 130 kilómetros. A pesar de su tamaño, esta compacta región poseía un clima y una orografía variados.

La región más productiva era la llanura costera, que llegaba hasta el norte y las grandes ciudades mercantiles fenicias de Tiro y Sidón. Al sur se encontraba la tierra de los filisteos, el epítome de cuyo enfrentamiento con los israelitas es el épico combate entre el joven David y el campeón filisteo, Goliat. Tierra adentro, sobre la meseta que domina la parte norte de Tierra Santa, se encontraba Galilea, una zona fértil para huertas y olivares en donde vivió y predicó Jesús. El corazón de la región era el propio mar de Galilea: un gran lago de agua dulce donde Jesús reclutó a sus primeros discípulos. Se encuentra a unos 215 metros por debajo del nivel del mar, en el Gran Valle del Rift que

va desde el este de Turquía hasta África. Del lago nace el río Jordán, que Josué y los israelitas cruzaron para entrar en la Tierra Prometida y en cuyas aguas Jesús fue bautizado por Juan el Bautista.

Encajonado entre empinadas cumbres, el Jordán corre hacia el sur hasta alcanzar el mar Muerto, que se encuentra a cerca de 400 metros por debajo del nivel del mar. Fue en las cuevas de Qumrán, en las colinas que se yerguen al borde de esa gran extensión de agua salobre, donde se encontraron los «Manuscritos del mar Muerto». Cerca de la orilla oeste de dicho mar se encuentra el palacio-fortaleza de Masada, donde un grupo de judíos celotas se suicidó en masa en el año 73 d.C. tras el fracaso de la rebelión judía contra Roma.

Unos 24 kilómetros al oeste de la orilla norte del mar Muerto se encuentra Jerusalén, la ciudad que se convirtió en la capital del rey David, destruida por los babilonios, reconstruida por Herodes el Grande y arrasada por los romanos en el año 70 d.C. Allí, en el centro espiritual del judaísmo, se encontraba el Templo —el lugar más sagrado de los judíos—, que antaño albergara el Arca de la Alianza, la reliquia más sagrada de los judíos, que contenía los Diez Mandamientos entregados a Moisés. También aquí las diferentes referencias geográficas se encuentran asociadas a los últimos días de Jesús, incluidas Getsemaní y la Vía Dolorosa: el camino tradicional de Jesús hacia la ejecución.

Viajes y mapas

La topografía de las tierras de la Biblia es, por lo tanto, básica para este libro. Al igual que lo son las cambiantes fronteras políticas del Oriente Próximo durante la época bíblica y los épicos viajes realizados tanto por las personas como por las naciones que ocupan un lugar tan destacado en el Antiguo Testamento. En los libros del Nuevo Testamento los viajes de Jesús poseen una escala menor, pero las misiones de san Pablo para llevar el cristianismo a Asia Menor y Europa tienen carácter heroico en lo que se refiere a su alcance. Utilizando fotografías, mapas y planos, así las más recientes investigaciones arqueológicas, las páginas que siguen nos contarán las principales historias de la Biblia en el contexto de su época y de su localización geográfica. Las reconstrucciones de ciudades y edificios nos ayudarán a dar vida al mundo bíblico y a arrojar más luz sobre las historias que se encuentran en el corazón de las grandes religiones del judaísmo y el cristianismo.

San Pablo.

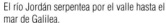

Rollos de la Torá del siglo XIX procedentes de Iraq.

El Antiguo Testamento

El tema central del Antiguo Testamento es la particular relación existente entre Dios y los judíos, la nación de Israel. Los judíos creen que esa relación se basa en una alianza acordada entre Dios y los «patriarcas», sus primeros grandes antepasados, entre quienes se incluyen Abraham y Jacob. Dios les prometió que, a cambio de su lealtad y obediencia, haría de sus descendientes una gran nación y les entregaría Canaán, la «Tierra Prometida».

La cuestión de esa especial relación impregna el Antiguo Testamento —«el Tanac», según lo llama el judaísmo—, pero el objetivo de sus libros va más allá. Estos incluyen las leyes divinas contenidas en los cinco primeros libros de la Biblia, conocidos también como el Pentateuco o la Torá: libros históricos, profecías, salmos, debates filosóficos, proverbios y comentarios sapienciales. Cada libro llegó a formar parte del canon bíblico –o Sagradas Escrituras oficiales– porque ayudaba a revelar el carácter y el propósito de Dios.

Las versiones cristianas del Antiguo Testamento difieren en el número y el orden de los libros que incluyen. Algunos libros judíos, como I y II Macabeos, no aparecen en las escrituras oficiales hebreas; parecen por primera vez en la versión griega del Antiguo Testamento del siglo III a.C., conocida como la Setenta. También fueron incluidos en la Biblia Vulgata –la traducción latina de finales del siglo IV d.C. utilizada por la Iglesia católica–. Las versiones católicas de la Biblia todavía incluyen esos libros. Las versiones protestantes los omiten o los sitúan en un apéndice conocido como «Apócrifos».

El Antiguo Testamento y la historia

A pesar de que el Antiguo Testamento presenta sus relatos como acontecimientos históricos, los especialistas modernos todavía están intentando separar los hechos de los mitos y las leyendas que los

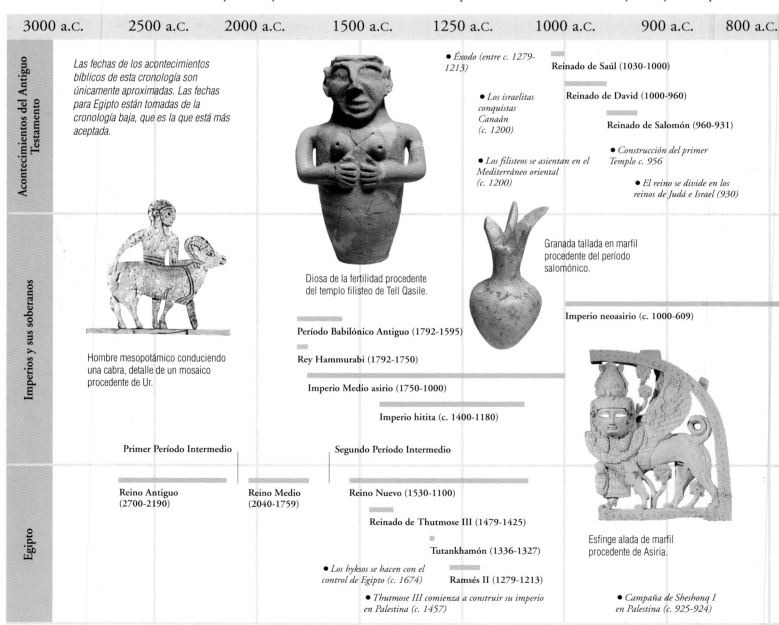

	3000 a.C.	2500 a.C.	2000 a.C.	1500 a.C.	1250 a.C.	1000 a.C.	900 a.C.	800 a.C.

Acontecimientos del Antiguo Testamento

Las fechas de los acontecimientos bíblicos de esta cronología son únicamente aproximadas. Las fechas para Egipto están tomadas de la cronología baja, que es la que está más aceptada.

● Éxodo (entre c. 1279-1213)

● Los israelitas conquistas Canaán (c. 1200)

● Los filisteos se asientan en el Mediterráneo oriental (c. 1200)

Reinado de Saúl (1030-1000)

Reinado de David (1000-960)

Reinado de Salomón (960-931)

● Construcción del primer Templo c. 956

● El reino se divide en los reinos de Judá e Israel (930)

Imperios y sus soberanos

Hombre mesopotámico conduciendo una cabra, detalle de un mosaico procedente de Ur.

Diosa de la fertilidad procedente del templo filisteo de Tell Qasile.

Granada tallada en marfil procedente del período salomónico.

Período Babilónico Antiguo (1792-1595)

Rey Hammurabi (1792-1750)

Imperio Medio asirio (1750-1000)

Imperio hitita (c. 1400-1180)

Imperio neoasirio (c. 1000-609)

Esfinge alada de marfil procedente de Asiria.

Egipto

Primer Período Intermedio

Segundo Período Intermedio

Reino Antiguo (2700-2190)

Reino Medio (2040-1759)

Reino Nuevo (1530-1100)

Reinado de Thutmose III (1479-1425)

Tutankhamón (1336-1327)

● Los hyksos se hacen con el control de Egipto (c. 1674)

Ramsés II (1279-1213)

● Thutmose III comienza a construir su imperio en Palestina (c. 1457)

● Campaña de Sheshonq I en Palestina (c. 925-924)

contienen. En concreto, varios episodios de los primeros 11 capítulos del Génesis poseen un notable tono mítico. La historia de Noé y el Diluvio, por ejemplo, es similar a historias sobre diluvios en otras culturas del Oriente Próximo y Medio. Aún así, la falta de pruebas directas respecto a la existencia de personajes como Noé no significa que no existieran. Pueden ser personas reales a las que posteriormente se les atribuyeron hazañas heroicas.

Las pruebas históricas fiables son escasas para el período de los patriarcas, que pueden haber vivido hace cuatro mil años. Algún tiempo después, acontecimientos que tuvieron lugar en la nación judía comenzaron a aparecer en los documentos de otras civilizaciones. Por ejemplo, un obelisco asirio se refiere a la toma del poder por parte de Jehú en Israel en el 841 a.C., mientras que el asedio a la ciudad de Laquish en el 701, localizada en Judea, aparece representado en relieves asirios. Ambos acontecimientos aparecen en II Reyes. Otras muchas figuras y sucesos de la Biblia aparecen mencionados en los registros de otras grandes civilizaciones, incluidas la egipcia, la griega y la romana.

Es indudable que la historia y la arqueología arrojan luz sobre los textos bíblicos y en ocasiones los apoyan. La historia de la Torre de Babel, por ejemplo, puede que fuera inspirada por las grandes torres escalonadas, o zigurats, de Mesopotamia. Del mismo modo, las investigaciones arqueológicas pueden contradecir o arrojar dudas sobre acontecimientos y fechas que aparecen en la Biblia. Por ejemplo, las excavaciones de Jericó no han podido corroborar los detalles de la narración bíblica sobre la caída de la ciudad en manos de los israelitas.

Otro tema que se debate es la autoría del Antiguo Testamento. Algunas partes del mismo se han atribuido a figuras como Moisés, pero los investigadores modernos piensan que esas historias comenzaron como relatos orales y textos cortos reunidos a partir de fuentes diversas, compilados posteriormente en forma de libros. Los diferentes estilos de escritura y varias discrepancias textuales apoyan esa teoría.

Esos debates y análisis académicos sobre la validez histórica y el contexto cultural del Antiguo Testamento no deben, pese a todo, hacernos olvidar el hecho de que para los judíos, los cristianos y los musulmanes los libros que contiene son textos sagrados inmortales, cuyas reflexiones sobre los grandes misterios de la vida, la muerte y el destino son en la actualidad igual de relevantes que cuando fueron escritos por primera vez.

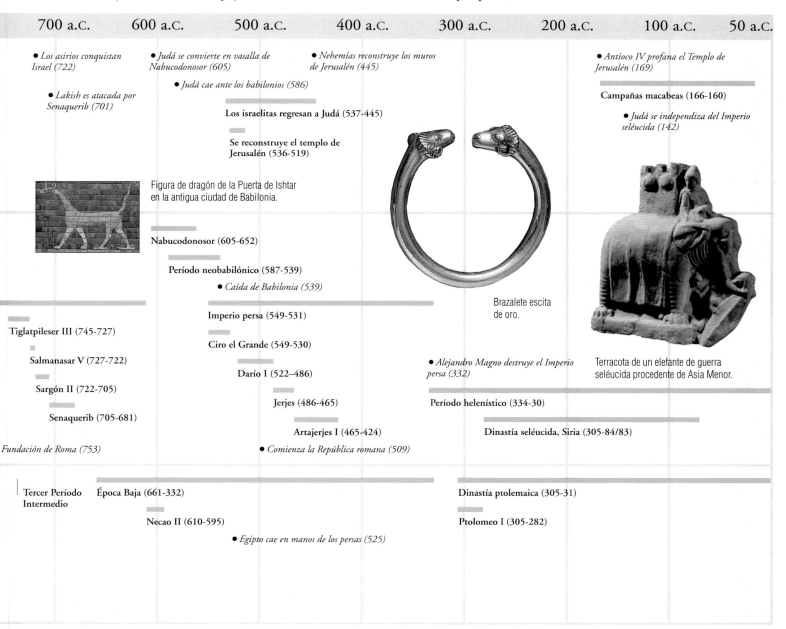

700 a.C.	600 a.C.	500 a.C.	400 a.C.	300 a.C.	200 a.C.	100 a.C.	50 a.C.

● *Los asirios conquistan Israel (722)*

● *Judá se convierte en vasalla de Nabucodonosor (605)*

● *Nehemías reconstruye los muros de Jerusalén (445)*

● *Antíoco IV profana el Templo de Jerusalén (169)*

● *Lakish es atacada por Senaquerib (701)*

● *Judá cae ante los babilonios (586)*

Campañas macabeas (166-160)

Los israelitas regresan a Judá (537-445)

● *Judá se independiza del Imperio seléucida (142)*

Se reconstruye el templo de Jerusalén (536-519)

Figura de dragón de la Puerta de Ishtar en la antigua ciudad de Babilonia.

Nabucodonosor (605-652)

Período neobabilónico (587-539)

● *Caída de Babilonia (539)*

Brazalete escita de oro.

Imperio persa (549-531)

Tiglatpileser III (745-727)

Ciro el Grande (549-530)

Salmanasar V (727-722)

● *Alejandro Magno destruye el Imperio persa (332)*

Darío I (522–486)

Terracota de un elefante de guerra seléucida procedente de Asia Menor.

Sargón II (722-705)

Jerjes (486-465)

Período helenístico (334-30)

Senaquerib (705-681)

Artajerjes I (465-424)

Dinastía seléucida, Siria (305-84/83)

Fundación de Roma (753)

● *Comienza la República romana (509)*

Tercer Período Intermedio

Época Baja (661-332)

Dinastía ptolemaica (305-31)

Necao II (610-595)

Ptolomeo I (305-282)

● *Egipto cae en manos de los persas (525)*

La creación del mundo

Adán y Eva en el Jardín del Edén.

La Biblia comienza con la historia de la creación de universo por Dios, el creador único y todopoderoso. Fue la creencia de los judíos en un único dios lo que los separó de sus vecinos mesopotámicos, que adoraban a muchos dioses y creían que el universo era el resultado de las batallas primigenias entre divinidades rivales.

La Biblia no ofrece ninguna explicación sobre el origen de la vida, más bien afirma que todo depende de Dios. Después, la Biblia explica cómo se corrompió el trabajo de Dios y cómo el bien y el mal llegaron a coexistir en el mundo.

El primer acto de Dios durante la creación fue hacer los cielos y la Tierra. Luego dijo: «Que haya luz»; y durante seis días consecutivos separó la tierra seca de los océanos, hizo el Sol, la Luna, las estrellas y creó las plantas, los peces y otras criaturas vivas. Finalmente, como clímax de su trabajo creador, Dios creó al hombre a su imagen y semejanza.

■ Al principio creó Dios los cielos y tierra. Ahora bien, la tierra era yerma y vacía, y las tinieblas cubrían la superficie del océano, mientras el espíritu de Dios se cernía sobre la haz de las aguas.

Génesis 1, 1

Luego Dios hizo un bello y fértil jardín en el Edén. Dejó el jardín al cuidado del hombre, Adán, a quien le dijo que podía comer los frutos de todos los árboles excepto del árbol del conocimiento del bien y del mal. Entonces, por si Adán se sentía solo, Dios creó a la mujer, Eva, como su compañera.

La tentación de Eva

Desgraciadamente, los seres humanos pronto demostraron no merecer la confianza de Dios. Una serpiente se acercó a Eva y la tentó, haciendo que comiera algunas de las frutas prohibidas y luego se las diera a probar a su esposo. Tras haber comido la fruta, Adán y Eva despertaron de su inocencia e infancia y fueron conscientes del pecado y la maldad. Se avergonzaron de su desnudez y cosieron hojas de higuera para cubrirla. Dios llegó al jardín y les preguntó quién les había dicho que estaban desnudos. Adán culpó a Eva, quien a su vez culpó a la serpiente. Como castigo, la serpiente fue condenada a reptar sobre su estómago, la mujer a dar a luz con dolor y el hombre a ganarse el pan con el sudor de su frente. Adán y Eva fueron expulsados del Edén y enviados al mundo a alimentarse por sí mismos.

Adán y Eva tuvieron dos hijos: Caín, que era granjero, y Abel, que era pastor. Con el tiempo ofrecieron regalos a Dios, pero éste rechazó la ofrenda de Caín. Éste se enfureció tanto que mató a Abel. La respuesta de Dios fue desterrar a Caín a la tierra de Nod, es decir, hacer que se convirtiera en un nómada.

Todos los pueblos mesopotámicos
tenían mitos que les ayudaban a dar sentido a la creación del mundo. Muchos de ellos implicaban a dioses guerreando. El Vaso Warka, de alabastro (a la izquierda, arriba un detalle), fechado en 3000 a.C. procede del tesoro de un templo de Uruk. Representa a sacerdotes llevando ofrendas a Inanna, la diosa del amor y de la guerra, una de las muchas deidades que los primeros judíos rechazaron cuando se volvieron hacia un único dios.

El Creciente Fértil
Hogar de las más antiguas civilizaciones del mundo, el Creciente Fértil forma un arco desde los valles de los ríos Tigris y Éufrates (en el este) hasta la costa del Mediterráneo (en el oeste). La fertilidad natural de la tierra significa que fue una de las primeras zonas en las que las personas pudieron plantar cosechas y vivir en poblados sedentarios. Hacia el 4000 a.C. se construyeron las primeras ciudades, lo que dio lugar a poderosos imperios. Los judíos, que remontan sus orígenes hasta Abraham, se encontraban entre los muchos pueblos que vivían en el Creciente Fértil.

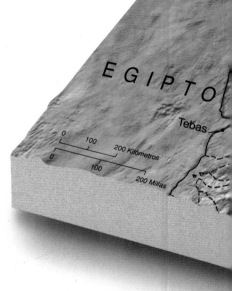

Aunque no es posible identificar
la localización del Jardín del Edén, el autor del Génesis muy bien pudo inspirarse en los verdes valles de los ríos Éufrates (derecha) y Tigris. Una exuberante vegetación crece a orillas de esos ríos, proporcionando refugio a pájaros, animales y personas, en fuerte contraste con la aridez del desierto circundante.

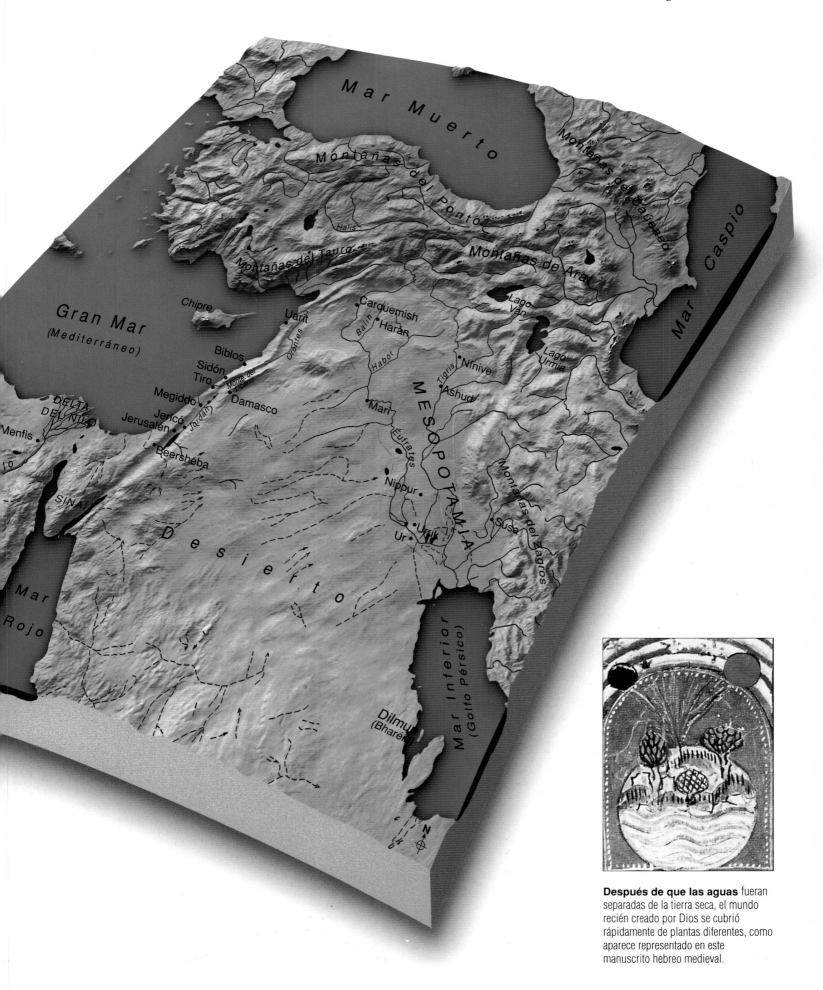

Después de que las aguas fueran separadas de la tierra seca, el mundo recién creado por Dios se cubrió rápidamente de plantas diferentes, como aparece representado en este manuscrito hebreo medieval.

El arca de Noé, según un libro de oración judío del siglo XIII.

La llamada de Noé

En las generaciones que siguieron a Caín y Abel, la crueldad del mundo se incrementó tanto que Dios lamentó haber creado al hombre y la mujer. Estaba muy triste por toda la violencia e inmoralidad del mundo y decidió que exterminaría a la humanidad de la faz de la Tierra, junto con todos los seres vivos con un único y gigantesco diluvio. Sólo un hombre se alzaba como un faro de rectitud en ese mundo de pecado, su nombre era Noé. Dios decidió que de toda la humanidad sólo salvaría a Noé y a su familia inmediata, porque era el único inocente de toda una generación corrompida.

La construcción del arca

Dios avisó a Noé del Diluvio que destruiría toda la vida sobre la Tierra y le dio instrucciones sobre cómo construir un arca que lo salvaría a él y a su familia. Dios también le dijo que reuniera a una pareja de todas las criaturas vivas dentro del arca y que de ese modo

■ Se llegaron a Noé, al arca, parejas de toda criatura dotada de soplo de vida, y los que entraban, macho y hembra de toda criatura entraban, conforme Dios habíale ordenado.

Génesis 7, 15-16

La epopeya de Gilgamesh

La narración bíblica de Noé no es la única historia de un diluvio procedente de la antigua Mesopotamia. En el siglo XIX miles de tablillas de arcilla de la biblioteca del rey asirio Asurbanipal (668-627) a.C. fueron encontradas en Nínive, la capital asiria. Entre ellas había diez (una de las cuales se puede ver a la derecha) que recogía un largo poema babilónico titulado *La epopeya de Gilgamesh*. El poema narra cómo el héroe, Gilgamesh, marchó a descubrir el secreto de la vida eterna. Su búsqueda le llevó hasta un hombre llamado Utnapistim –el equivalente a la figura de Noé en este relato–, quien le contó que era el único hombre que sobrevivió a una gran inundación y, de ese modo, consiguió la inmortalidad. La narración también cuenta cómo se

enviaron pájaros desde el barco y termina con un sacrificio a los dioses. La epopeya es tan vívida que parece el relato de un testigo que estuviera presente. Algunos especialistas han sugerido que puede que esté describiendo un gran tsunami originado por un ciclón que arrasó la llanura aluvial de los ríos Éufrates y Tigris inundando gran parte de Mesopotamia.

Es posible que el monte Ararat, en la moderna Turquía (arriba), sea la montaña mencionada en la historia bíblica del Diluvio. A comienzos del siglo XIX un pastor afirmó haber visto un gran barco de madera en la cima. Sin embargo, no se ha encontrado pruebas arqueológicas que apoyen esa afirmación ni otras similares realizadas en zonas de la cordillera del Zagros ni del Ararat.

también ellos se salvarían. Noé construyó el arca como se le había dicho, con madera de ciprés. Tenía 150 metros de largo, 25 metros de ancho y 15 metros de altura.

Siete días después, cuando se suponía que iba a comenzar la lluvia, Noé introdujo dentro del arca a su familia, formada por su esposa, sus tres hijos y las esposas de sus hijos, además de a una pareja de cada criatura viva. La lluvia estuvo cayendo durante 40 días y 40 noches. Llovió tan fuerte que era como si todas las compuertas del cielo se hubieran abierto. Como seguía lloviendo, el agua comenzó a subir y acabó rodeando el arca hasta que ésta empezó a flotar. El agua se hizo tan profunda que incluso las cimas de las montañas desaparecieron de la vista. Todas las criaturas vivas de la tierra murieron, excepto Noé y las personas y animales del arca.

Tras el sacrificio de Noé, Dios le prometió que nunca volvería a enviar un diluvio para destruir a todas las criaturas vivas. Como recordatorio de la promesa, siempre aparecería un arco iris entre las amenazadoras nubes de tormenta.

Noé se aseguró de que una hembra y un macho de cada criatura viva, incluso de animales tan grandes y temibles como los representados en esta escena de caza de un mosaico romano (debajo), sobrevivieran para repoblar la Tierra.

después, Noé soltó a la paloma por tercera vez, pero en esta ocasión no regresó. Noé supo entonces que la superficie de la tierra estaba seca y que era seguro desembarcar.

Tras el Diluvio

Dios le dijo a Noé que sacara a todas las criaturas vivientes del arca, de modo que pudieran dispersarse y multiplicarse. Como agradecimiento por haberlos salvado del terrible Diluvio, Noé construyó un altar y le hizo un sacrificio a Dios. Esto satisfizo a Dios, que bendijo a Noé y su familia, animándole a que fructificaran e incrementaran su número. Dios también le dijo a Noé que a partir de entonces todas las criaturas vivas temerían al hombre y que todo lo que estuviera vivo y se moviera, peces, pájaros y bestias de la tierra, les serviría de comida.

Dios estaba complacido con Noé y le aseguró que nunca volvería a someter a la humanidad a semejante cataclismo. Como recordatorio eterno de su promesa, le dijo que allá donde la gente viera reunirse nubes oscuras y temiera otro diluvio enviaría un arco iris para confirmarles su decisión.

Termina la lluvia

Al fin la lluvia escampó lentamente y las aguas comenzaron a descender. Ciento cincuenta días después de que la inundación alcanzara su puto máximo, las aguas descendieron y el arca se posó sobre la cima del monte Ararat. Noé envió pájaros para comprobar cuán lejos habían descendido las aguas. Primero envió un cuervo, pero en vez de regresar al arca éste permaneció volando en círculos a su alrededor hasta que la tierra reapareció. Luego envió una paloma, pero al no encontrar dónde posarse ésta regresó al arca. Siete días después envió de nuevo a la paloma, que esta vez regresó con una rama de olivo recién cortada en su pico. Esto le indicó a Noé que los árboles habían reaparecido, pero como el pájaro había vuelto, se dio cuenta de que la tierra todavía se encontraba bajo el agua. Otros siete días

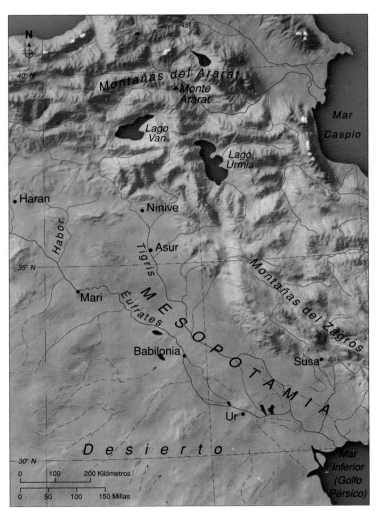

La llanura aluvial mesopotámica
Los dos grandes ríos de Mesopotamia, el Tigris y el Éufrates, sufrían inundaciones repentinas que en ocasiones inundaban grandes zonas y que podían hacer, incluso, que cambiara la dirección de los ríos. Al igual que la historia del Diluvio babilónico de *La epopeya de Gilgamesh*, el relato del Génesis puede haberse inspirado en alguno de esos catastróficos acontecimientos.

La torre de Babel

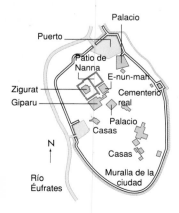

La construcción de la torre de Babel.

Tras la inundación, los descendientes de los tres hijos de Noé –Sen, Cam y Jafet– se asentaron cerca de la ciudad de Ur en Sumer, o Sinar, como la llama la Biblia, en el sur de Mesopotamia. Según el autor del Génesis, las gentes de Sinar se volvieron tan hábiles y tan seguras de sí mismas que decidieron construir una ciudad, llamada Babel, con una torre que alcanzara el cielo. Sin embargo, la torre era tan pequeña a los ojos de Dios que éste, como dice la Biblia con humor, tuvo que realizar el esfuerzo de descender del cielo para echarle un vistazo por sí mismo.

La historia de la torre de Babel probablemente fuera inspirada por las grandes torres, conocidas como zigurats, construidas en Sumer

> ¡Ea!, edifiquemos una ciudad y una torre cuya cúspide llegue al cielo y así nos crearemos un nombre, no sea que nos dispersemos por la superficie de toda la tierra.
>
> Génesis 11, 4

en torno al 2100 a.C. El propósito de esas sorprendentes construcciones no está claro, pero los especialistas creen que representaban una montaña cósmica, un altar gigante o un trono divino, en donde los reyes sumerios –que eran figuras semidivinas– realizaban ritos religiosos para asegurar el bienestar de sus dominios.

Según la Biblia, cuando Dios vio la torre se preocupó, no porque los seres humanos pudieran usurpar su poder, sino porque su desarrollo moral no iba parejo a su desarrollo técnico. Dios modificó la lengua de los constructores de modo que no fueron capaces de comprenderse unos a otros. El resultado fue que no pudieron terminar la ciudad ni la torre y se desperdigaron por el mundo hablando lenguas distintas. Se nos dice que la ciudad se llamaba Babel, un juego de palabras deliberado con la palabra hebrea que significa «confundido».

La Biblia nos dice que Terah, el padre de Abram (el futuro Abraham), vivía cerca de la ciudad de Ur con su familia. En algún momento tras el matrimonio de Abram, Terah decidió dejar la región llevando a su familia al norte, a la ciudad de Haran (la moderna Harran en el sureste de Turquía).

El cementerio real de Ur ha proporcionado muchos objetos preciosos, incluido este magnífico carnero (izquierda) con patas de oro y cuerpo de lapislázuli. Su presencia en una tumba parece una prueba de una creencia en la otra vida.

El zigurat de Ur
El rey Ur-Nammu construyó este poderoso zigurat en Ur en torno al 2100 a.C. Sirve como ejemplo de otras muchas construcciones similares erigidas en la antigua Mesopotamia. Estaba formado por tres plataformas que disminuían en tamaño y estaban erigidas la una sobre la otra. En la cima había un templo con forma de torre. La base del zigurat, que se conserva en gran parte intacta, ocupa un área de 2.290 m².

Palacio
Puerto
Patio de Nanna
E-nun-mah
Zigurat
Giparu
Cementerio real
Palacio
Casas
N
Casas
Muralla de la ciudad
Río Éufrates

Ur estaba dominada por su gran zigurat, localizado en un recinto sagrado al norte de la ciudad. El recinto sagrado también contenía el Patio de Nanna, el E-nun-mah, que puede haber sido el lugar donde se encontraba el tesoro público, y el Giparu o residencia de las sacerdotisas principales. Entre los edificios que se han identificado en otros lugares de la ciudad se incluyen palacios, casas de gente normal y un cementerio real. Ur estaba protegida por murallas y un foso alimentado por el río Éufrates.

Los constructores de la antigua Sumer utilizaban ladrillos hechos de paja y barro que luego se cocían en un horno o se dejaban secar al sol; un método que todavía utilizan los fabricantes de ladrillos de la zona en la actualidad.

Los zigurats eran unos edificios impresionantes desde cualquier punto de vista y requerían una gran habilidad, tanto para planificar como para construir. Este sello (izquierda) representa constructores babilonios trabajando.

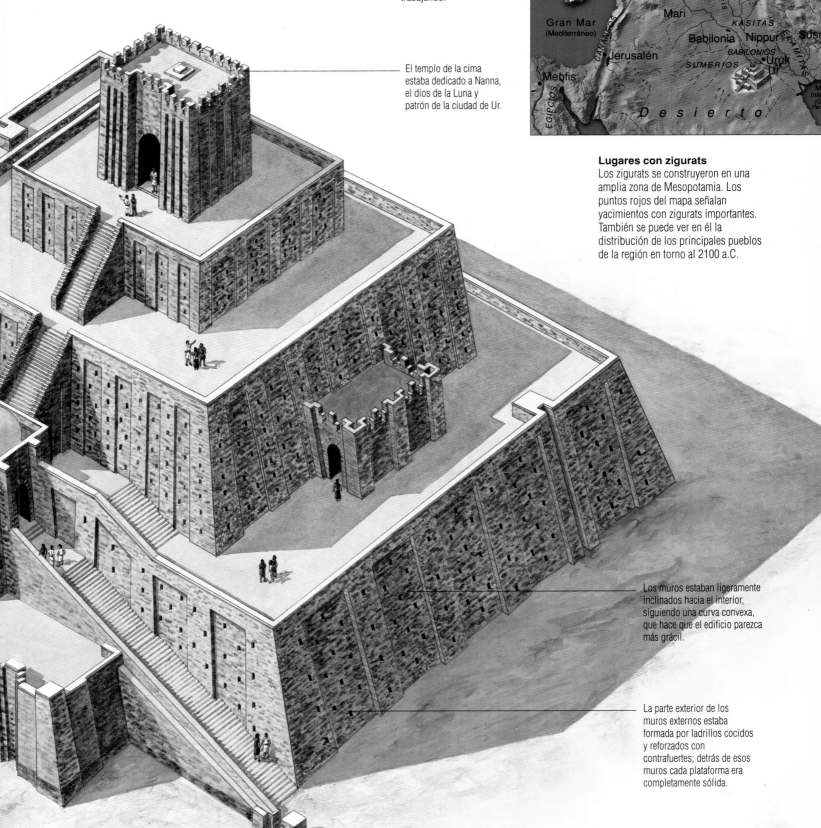

El templo de la cima estaba dedicado a Nanna, el dios de la Luna y patrón de la ciudad de Ur.

Lugares con zigurats
Los zigurats se construyeron en una amplia zona de Mesopotamia. Los puntos rojos del mapa señalan yacimientos con zigurats importantes. También se puede ver en él la distribución de los principales pueblos de la región en torno al 2100 a.C.

Los muros estaban ligeramente inclinados hacia el interior, siguiendo una curva convexa, que hace que el edificio parezca más grácil.

La parte exterior de los muros externos estaba formada por ladrillos cocidos y reforzados con contrafuertes; detrás de esos muros cada plataforma era completamente sólida.

Hombre mesopotámico llevando una cabra.

El viaje de Abraham

Abraham, un descendiente de Noé, vivía cerca de la ciudad de Haran, en Mesopotamia cuando Dios le dijo que le diera la espalda a sus dioses, abandonara su país y fuera a Canaán. A cambio, Dios le prometió a Abraham, que por aquel entonces se llamaba Abram, que su familia sería algún día una gran nación bendecida por Dios. Abraham se llevó a su mujer Sara, a su sobrino Lot, a sus sirvientes y sus rebaños de ovejas y cabras. Al llegar a Canaán se asentaron en la zona semidesértica conocida como el Neguev, pero el hambre les empujó más al sur, hacia Egipto.

Allí prosperaron, pero Abraham temía que debido a la gran belleza de Sara los egipcios la desearían y le matarían a él para obtenerla, por lo que le dijo a Sara que se presentara como su hermana y no como su esposa. Al faraón le llegaron noticias de la belleza de Sara y, al no saber que estaba casada con Abraham, la tomó como su esposa.

> ■ [...] y yo haré de ti una gran nación, te bendeciré y engrandeceré tu nombre; serás, pues, una bendición. Bendeciré a quienes te bendigan y al que te maldiga maldeciré, y en ti serán benditas todas las familias de la Tierra.
>
> Génesis 12, 2-3

Enfadado por ello, Dios envió enfermedades contra él y su familia. Cuando finalmente el faraón descubrió la verdad, enfadado expulsó de Egipto a Abraham, Sara y su familia.

Abraham regresó a Canaán, asentándose en Mamre, cerca de Hebrón. De nuevo recibió de Dios la promesa de que le apoyaría y de que la tierra en la que estaba viviendo un día le pertenecería a sus descendientes.

El nacimiento de Ismael

Abraham temía que Dios no pudiera mantener su promesa, porque Sara era estéril. Siguiendo las costumbres locales, Sara le dijo a Abraham que durmiera con su sirvienta, Hagar, pero cuando Hagar se quedó preñada, Sara la condujo al desierto. De allí la rescató un ángel y regresó a la casa de Abraham para tener a su hijo, Ismael. Entonces Dios le dijo a Abraham que para que la tierra pasara a sus descendientes tenía que circuncidarse y llevar una vida pura, sería entonces cuando le daría un hijo a Sara.

Esta procesión (debajo) de hombres con ovejas, cabras y bueyes muestra el tipo de rebaño que Abraham pudo llevar consigo a Canaán. Este friso procede de Ur, en el sur de Mesopotamia, donde Abraham vivió antes de llevarse a su familia a Haran.

El viaje de Abraham
En el momento en que escuchó la llamada de Dios, Abraham estaba viviendo cerca de la ciudad de Haran, en el norte de Mesopotamia. La Biblia no dice cuánto tiempo estuvo viviendo allí, aunque sí narra cómo fue llevado cerca de Ur, en Sumer, viajando hacia el norte con su esposa Sara, su padre Terah y su sobrino Lot. Al dejar Harán, la ruta de Abraham le llevó probablemente a cruzar el Éufrates y luego hacia el sur pasadas Damasco y Bethel. Continuó después hacia el sur, hasta el Neguev, pero este semidesierto proporcionaba escasa comida para sus animales. Una hambruna no tardó en hacer que Abraham se marchara a Egipto.

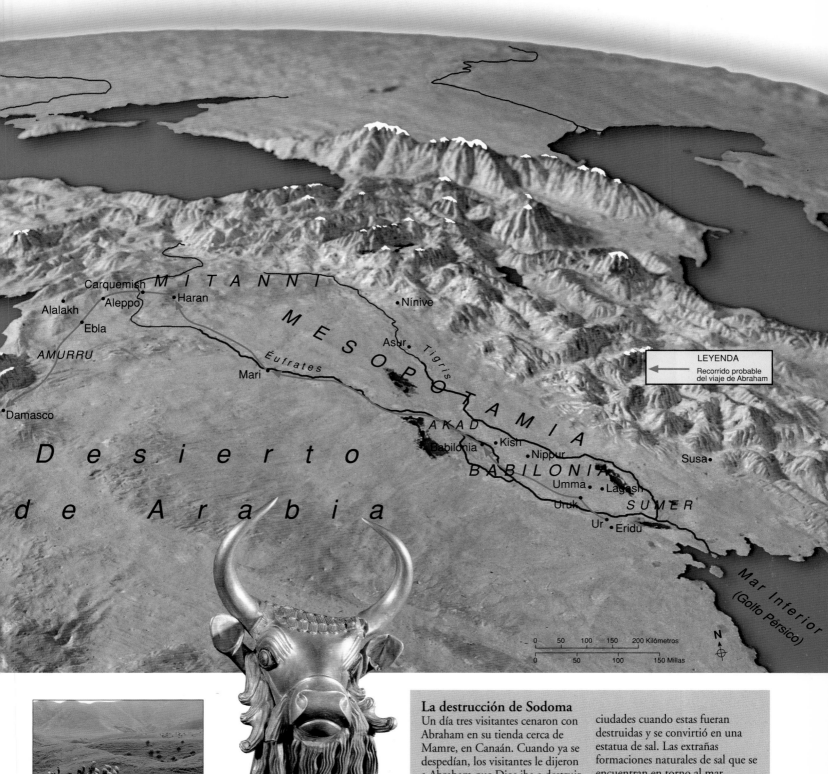

MITANNI

Carquemish
Aleppo
Alalakh
Haran
Ebla

AMURRU

Éufrates
Mari

Nínive

M E S O P O T A M I A

Asur

Tigris

Damasco

D e s i e r t o

d e   A r a b i a

AKAD
Babilonia
Kish
Nippur

BABILONIA
Umma
Lagash
Uruk
SUMER
Ur
Eridu

Susa

Mar Inferior
(Golfo Pérsico)

LEYENDA
Recorrido probable
del viaje de Abraham

0   50   100   150   200 Kilómetros
0   50   100   150 Millas

N

Abraham y su familia parecen haber sido seminómadas, como muchos beduinos de la actualidad. Se asentaban en una zona, pero se trasladaban cuando era necesario encontrar nuevos pastos para sus animales.

La riqueza de Ur es evidente en esta delicadamente esculpida cabeza de toro, realizada para decorar una lira, un instrumento de cuerda tocado por todo el Oriente Próximo y Medio.

La destrucción de Sodoma

Un día tres visitantes cenaron con Abraham en su tienda cerca de Mamre, en Canaán. Cuando ya se despedían, los visitantes le dijeron a Abraham que Dios iba a destruir las ciudades de Sodoma y Gomorra por la maldad de sus habitantes. Abraham rogó a Dios que salvara las ciudades, pero éste decretó que sólo el sobrino de Abraham, Lot, y su familia, que vivían en Sodoma, merecían ser salvados. Avisado del desastre que se avecinaba por dos ángeles, Lot huyó con su esposa y sus dos hijas, pero su esposa ignoró el aviso de los ángeles de que no mirara a las ciudades cuando estas fueran destruidas y se convirtió en una estatua de sal. Las extrañas formaciones naturales de sal que se encuentran en torno al mar Muerto (debajo), pueden haber tenido algo que ver en esta parte de la historia.

La Alianza de Abraham

La figura de Abraham, un hombre piadoso que era originario de la zona cercana a la ciudad de Ur, en el sur de Mesopotamia, destaca en el judaísmo, el cristianismo y el islam. Las tres religiones lo consideran el padre de sus fieles. Dios llegó a una alianza, o acuerdo, con él prometiéndole que tendría muchos descendientes a quienes se les daría una patria a cambio de su fe y su obediencia. Para estar seguro de la valía de Abraham, Dios lo puso a prueba dos veces y las dos salió airoso.

La primera prueba tuvo que ver con la fe de Abraham. Un día, cuando Abraham estaba viviendo en Mamre, cerca de Hebrón, tres forasteros le visitaron y, después de haberlos agasajado y dado de comer, los forasteros le avisaron de la inminente destrucción de las malvadas ciudades de Sodoma y Gomorra, cercanas al mar Muerto. También le sorprendieron al decirle que su esposa, Sara, que era vieja y no había tenido hijos, pronto tendría uno. Por increíble que sonara lo que le di-

jeron, Abraham creyó a los forasteros y un años después su fe se vio recompensada cuando Sara dio a luz a un hijo, al que llamaron Isaac.

La segunda prueba tuvo que ver con la obediencia de Abraham. Cuando Isaac se convirtió en un niño, Dios le dijo a Abraham que se lo ofreciera como sacrificio. Abraham obedeció sin preguntar, llevando a Isaac al lugar convenido, identificado por la tradición con el monte Moriah de Jerusalén. Cuando Isaac le preguntó dónde estaba el cordero para el sacrificio, Abraham le dijo que Dios proveería. Construyó un altar y tumbó a Isaac sobre él. Cuando alzaba su cuchillo para matar a Isaac, Abraham escuchó a un ángel que le decía que parara. Miró alrededor y vio a un cordero atrapado en un arbusto, al que sacrificó en vez de a su hijo.

Tras la confirmación de la fe y la obediencia de Abraham, Dios ratificó su Alianza con él, prometiéndole muchos descendientes a través de los cuales todas las naciones serían bendecidas.

Arriba: Abraham prepara el sacrificio de Isaac, según el mosaico de la sinagoga de Beth-alpha.
Fondo: El desierto de Judea al sur de Hebrón.
Mapa: Zona en torno a Hebrón, en la que vivió Abraham.

1. La gran mezquita de Hebrón, donde se encuentra la tumba de Abraham.
2. Formaciones de sal en el mar Muerto.
3. Cabeza de toro procedente de Ur.
4. Rebaño de ovejas en el desierto.
5. Columna de arcilla con los nombres de Abraham y sus descendientes.

Jerusalén

Mamre

Hebrón

Mar Salado (Mar Muerto)

Pintura de una tumba egipcia que representa a unos mercaderes asiáticos.

El viaje de Jacob

Antes de morir, Abraham vio a su hijo Isaac casado con Rebeca, un familiar que vivía cerca de Haran. Rebeca tuvo gemelos de Isaac: Esaú, el bullicioso primogénito, cazador y favorito de su padre; y el tranquilo e inteligente Jacob, favorito de su madre. Jacob tenía una vena ambiciosa y despiadada. Un día Esaú llegó de cazar, débil por el hambre, y se encontró a Jacob cocinando un estofado. Jacob se negó a darle de comer hasta que Esaú estuvo de acuerdo en darle a cambio su derecho de primogenitura, lo que concedía a Jacob el derecho a la herencia de su hermano y a ser el futuro cabeza de familia.

Después, con la complicidad de Rebeca, engañó a su padre de un modo incluso más artero. Isaac, que era por entonces un hombre

> ■ Un pueblo y una muchedumbre de pueblos procederán de ti y reyes saldrán de tus lomos. El país que di a Abraham y a Isaac a ti te lo daré y a tus descendientes después de ti daré el país.
>
> Génesis 35, 11-12

viejo y ciego, le pidió a Esaú que le preparara la comida; pero fue Jacob quien se la llevó. Isaac sospechó, por lo que le pidió que le dejara tocarle; pero Jacob se había vestido con pieles de cabra para hacerlas pasar por la velluda piel de su hermano. Isaac se convenció de que era Esaú y lo bendijo, con lo que le concedió el espíritu y la dirección de la familia al hijo pequeño.

El viaje hasta Haran

Esaú planeó matar a Jacob una vez que su padre hubiera muerto, pero Rebeca lo envió lejos, para que estuviera seguro en Haran, donde esperaba que encontraría una esposa. De camino, Jacob se detuvo para dormir al aire libre, con una pila de piedras haciéndole las veces de almohada, y soñó con una escalera hasta el cielo. Ángeles subían y bajaban por la escalera y Dios se encontraba en la parte más alta. Dios le dijo a Jacob que daría toda la tierra que le rodeaba a sus descendientes y que lo vigilaría durante su viaje y haría que regresara a salvo a Canaán. Cuando Jacob se despertó, bautizó Bethel el lugar donde tuvo el sueño y lo marcó con un pilar de piedra ungido.

Al alcanzar Haran, Jacob conoció a Raquel, la hija pequeña de su tío Labán, de la que se enamoró. A cambio de la mano de Raquel, Labán hizo que Jacob trabajara siete años como pastor suyo; pero el día de la boda fue Jacob quien resultó engañado y cuando se despertó al día siguiente se encontró junto a la hija mayor de Labán, Leah. Jacob estaba furioso, pero Labán decidió que a cambio de otros siete años de trabajo también podría casarse con Raquel. Durante sus años de duro trabajo, Jacob formó sus propios rebaños y, después de casarse con Raquel, regresó a Canaán con su esposa, hijos y animales.

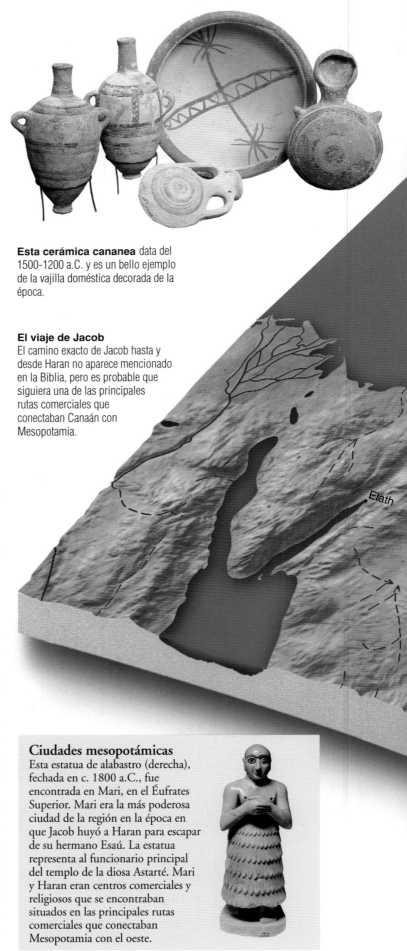

Esta cerámica cananea data del 1500-1200 a.C. y es un bello ejemplo de la vajilla doméstica decorada de la época.

El viaje de Jacob
El camino exacto de Jacob hasta y desde Haran no aparece mencionado en la Biblia, pero es probable que siguiera una de las principales rutas comerciales que conectaban Canaán con Mesopotamia.

Elath

Ciudades mesopotámicas
Esta estatua de alabastro (derecha), fechada en c. 1800 a.C., fue encontrada en Mari, en el Éufrates Superior. Mari era la más poderosa ciudad de la región en la época en que Jacob huyó a Haran para escapar de su hermano Esaú. La estatua representa al funcionario principal del templo de la diosa Astarté. Mari y Haran eran centros comerciales y religiosos que se encontraban situados en las principales rutas comerciales que conectaban Mesopotamia con el oeste.

Mapa

N

Éufrates

Carquemish

Aleppo

Haran

Balih

PADDAN-ARAM

Hamath

Tigris

Qatna

Habor

MESOPOTAMIA

Damasco

Mari

Éufrates

G r a n   M a r
(Mediterráneo)

Hatzor

Megiddo

Dothan

Siquem

GILEAD • Ashtaroth-karnaim

Siloh

Jordan

Sucoth

Jerusalén

Penuel • Ramoth-Gilead

Jabbok

Efrath (Belén)

Bethel

Mahanaim

Hebrón

CANAÁN

Mar Salado
(Mar Muerto)

Beersheba

EDOM

0   50

0   25   100

50   150 Kilómetros

75   100 Millas

Figuritas de arcilla de la diosa Astarté. Al contrario que los judíos, que adoraban a un único dios, los cananeos reverenciaban a todo un panteón de deidades.

El regreso a Canaán

A Jacob le asustaba mucho el reencuentro con su hermano Esaú y pasó solo la noche antes de que éste se produjera. Mientras dormía, un misterioso forastero llegó y peleó con él durante toda la noche. Al despuntar el alba Jacob todavía no había sido derrotado y el forastero, un ángel de Dios, decretó que en adelante Jacob sería llamado Israel —«aquél que lucha con Dios»— porque había luchado tanto con Dios como con los hombres y había triunfado.

Jacob y Esaú se reconciliaron. Jacob se trasladó a Bethel y construyó un altar en el lugar en el que Dios habló con él por primera vez. Finalmente, él y su familia se trasladaron a Egipto para reunirse con José, el primogénito de su amada esposa Raquel. Jacob vivió allí sus últimos días en una tranquila piedad, siendo su acto final bendecir a sus 12 hijos, que se convirtieron en los antepasados de las 12 tribus de Israel.

La caída y el auge de José

José soñando, a partir de un manuscrito hebreo.

José, el hijo de Jacob y de su amada esposa Raquel, era el favorito de su padre. Cuando Jacob le dio a José un vestido ricamente adornado o «manto de muchos colores», sus 11 hermanos se pusieron muy celosos por la preferencia demostrada por su padre. José empeoró las cosas cuando les contó a sus hermanos dos de sus sueños. En el primero José y sus hermanos estaban atando gavillas de trigo y las gavillas de sus hermanos se inclinaban ante la gavilla de José. En el segundo sueño 11 estrellas, el Sol y la Luna –que José interpretó como sus 11 hermanos, su padre y su madre– se inclinaban ante él.

La envidia de sus hermanos se convirtió en odio y en pensamientos de asesinato. Un día, justo cuando estaban a punto de llevar a cabo su atroz proyecto, vieron una caravana de mercaderes de especias camino de Egipto. Uno de los hermanos Judá, sugirió que en vez de asesinarlo podían venderlo como esclavo. Los demás estuvieron de acuerdo, de modo que lo vendieron a cambio de 20 siclos. Después

■ He aquí que van a venir siete años de gran abundancia en todo el país de Egipto. Tras ellos surgirán siete de hambre, de suerte que se olvidará toda la abundancia en el país egipcio.

Génesis 12, 29-30

de meter en sangre de cabra la ropa de José, le dijeron a su dolido padre que debía de haberlo matado un animal salvaje.

Una vez en Egipto, José fue llevado hasta Putifar, el capitán de la guardia del faraón. José no tardó en convertirse en el jefe de toda la casa de Putifar y la esposa de éste, que se sentía atraída por el guapo joven, intentó seducirlo. Pero José rechazó sus avances y como venganza ella lo acusó falsamente de intentar violarla.

Cuando Putifar la escuchó, encerró a José junto con otros prisioneros. Mientras estaba en la cárcel, José interpretó los sueños de dos de los antiguos sirvientes del faraón, un panadero y un copero, diciéndole al primero que sería ejecutado y al segundo que pronto recuperaría el favor de la corte. Todo sucedió como había predicho José y éste le pidió al copero que hablara en su favor ante el faraón. Pero una vez libre, el copero se olvidó de la petición de José.

Los sueños del faraón

Dos años después, el propio faraón tuvo dos sueños extraños, que ninguno de sus sabios supo interpretar. Sólo entonces se acordó el copero de José, que fue llevado a toda prisa ante el faraón.

En el primero de los sueños del faraón, siete vacas brillantes y gordas estaban paciendo entre las cañas del Nilo cuando siete vacas flacas y feas vinieron y se las comieron, pero siguieron estando tan delgadas como antes. En el segundo sueño el faraón vio siete espigas

de trigo que fueron comidas por siete espigas quemadas. De inmediato, José comprendió que los sueños eran un aviso de que siete años de prosperidad vendrían seguidos de siete años de hambre. José sugirió que durante los años buenos habría que acumular suficiente comida para poder evitar el hambre durante los otros siete.

El faraón estaba tan impresionado que convirtió a José en su primer ministro. Durante los años buenos, José construyó grandes graneros. En los subsiguientes años de hambruna los almacenes fueron abiertos y el pueblo alimentado.

No obstante, la hambruna se extendió más allá de Egipto, hasta el Canaán, y los hermanos de José no tardaron en llegar a Egipto para comprar grano. Al reconocerlos, José les preguntó por su familia y al final les dijo quién era. También les aseguró que no tenían que tener miedo, porque creía que Dios le había enviado a Egipto para evitar que su familia se muriera de hambre. Con el permiso del faraón, toda la familia de José se trasladó a Egipto, donde se asentaron en un lugar llamado Gosen, probablemente en el delta del Nilo.

El gobierno de los hyksos en Egipto

Es posible que la historia de José esté relacionada con el período posterior al 1700 a.C., cuando Egipto estuvo gobernado por los hyksos, procedentes de Canaán. Esas gentes pueden haber conseguido que un no egipcio fuera el primer ministo egipcio. Este mapa muestra la extensión del gobierno de los hyksos y la posible ruta de los mercaderes que llevaron a José hasta Egipto.

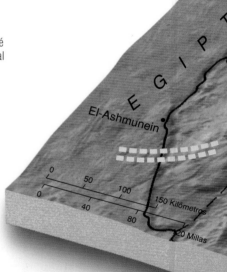

Recogida de la cosecha, tal cual aparece en la pintura de una tumba egipcia. Las cosechas más habituales de la época eran trigo y cebada, utilizadas para fabricar cerveza y cocer pan.

El pan se hacía a partir de trigo y era el alimento esencial de la mayor parte de la gente en el antiguo Egipto. Esta figurita de arcilla representa a un hombre (quizá un molinero) moliendo trigo para hacer harina.

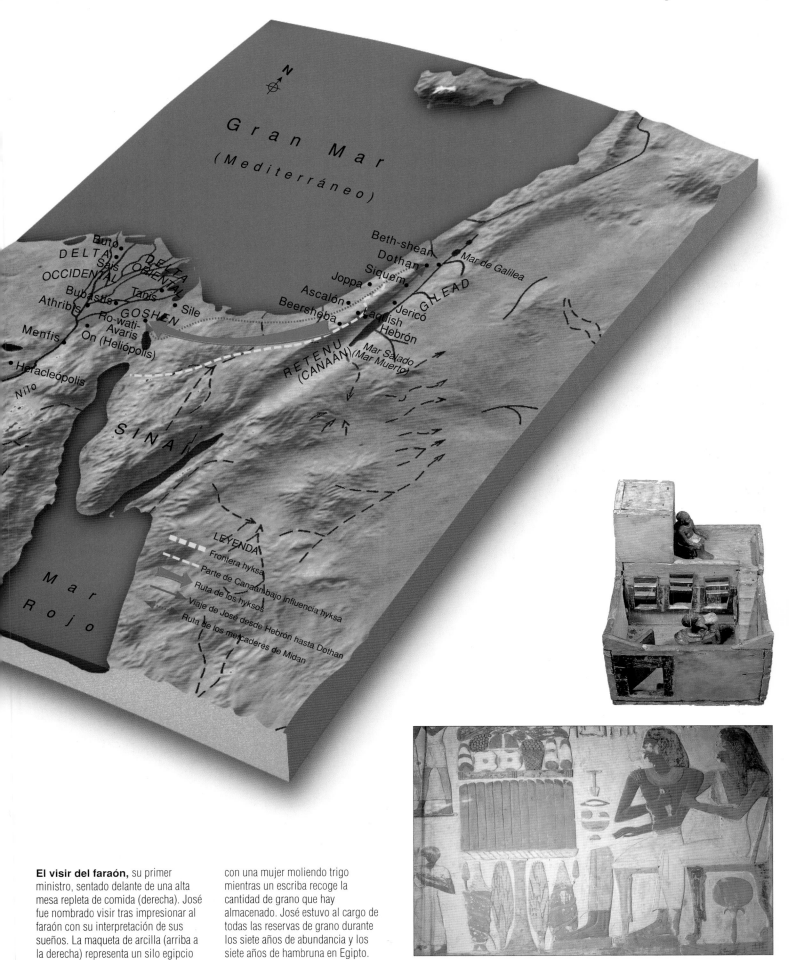

N

Gran Mar
(Mediterráneo)

DELTA
OCCIDENTAL
Buto
Sais
DELTA
ORIENTAL
Bubastis
Athribis
Tanis
Sile
Menfis
Ro-wati-
Avaris
On (Heliópolis)
GOSHEN
Heracleópolis
Nilo

SINAÍ

Mar
Rojo

Beth-shean
Dothan
Mar de Galilea
Siquem
Joppa
Ascalón
Beersheba
Jericó
Laquish
Hebrón
GILEAD
Mar Salado
(Mar Muerto)
RETENU
(CANAÁN)

LEYENDA
Frontera hyksa
Parte de Canaán bajo influencia hyksa
Ruta de los hyksos
Viaje de José desde Hebrón hasta Dothan
Ruta de los mercaderes de Midan

El visir del faraón, su primer ministro, sentado delante de una alta mesa repleta de comida (derecha). José fue nombrado visir tras impresionar al faraón con su interpretación de sus sueños. La maqueta de arcilla (arriba a la derecha) representa un silo egipcio con una mujer moliendo trigo mientras un escriba recoge la cantidad de grano que hay almacenado. José estuvo al cargo de todas las reservas de grano durante los siete años de abundancia y los siete años de hambruna en Egipto.

Los israelitas en Egipto

Un mosaico de Moisés con toga romana.

En los siglos que siguieron a la muerte de José, los israelitas se vieron cada vez más y más reprimidos por los soberanos de Egipto. En tiempos de los faraones Seti I y Ramsés II, el siglo XIII a.C., se habían convertido prácticamente en esclavos.

La Biblia nos cuenta cómo el faraón se alarmó ante el cada vez mayor número de israelitas y decretó que todos los israelitas varones debían ser muertos al nacer. En un intento por salvar a su hijo, una mujer, llamada Joquebed, escondió a su hijo en una cesta de papiro entre los juncos de la orilla del Nilo, cuidándolo en secreto. Algún tiempo después, la hija del faraón fue a bañarse y descubrió la cesta. Se apiadó del niño al pensar que había sido abandonado y se lo llevó consigo para vivir en la corte real. Llamó al niño Moisés.

La Biblia no dice nada de la llegada de Moisés a la corte, pero tradicionalmente se dice que pasó en ella 40 años. Al final Moisés se enteró de que era israelita y no egipcio, sorprendiéndose por las pesadas labores que realizaban sus compatriotas. Cuando vio a un egipcio pegando a un israelita, Moisés mató al hombre y escondió su cuerpo en el desierto, pero su crimen no tardó en ser descubierto y huyó al Sinaí.

■ Yo soy el Señor y os sacaré de debajo de las cargas de Egipto [...] con grandes castigos.

Éxodo 6, 6

Allí se refugió junto a Jetro, un sacerdote, y se convirtió en pastor. Mientras cuidaba su rebaño, Moisés se encontró por primera vez con el poder y la presencia de Dios. Un día Moisés vio un arbusto que aparentemente estaba en llamas, pero que milagrosamente no se quemaba. Cuando Moisés se acercó al arbusto, la voz de Dios le habló, diciéndole que tenía que conducir a los israelitas fuera de Egipto y de la servidumbre. Moisés protestó y le dijo que no era digno de la causa, pero Dios insistió, asegurándole que contaría con su ayuda.

Las diez plagas

Moisés regresó a Egipto y junto a su hermano mayor, Aarón, consiguió el apoyo de los israelitas. Entonces se reunieron con el faraón –probablemente Ramsés II– para pedirle que permitiera a su pueblo salir de Egipto para realizar sacrificios en el desierto. El faraón se negó. Como respuesta Dios envió diez plagas sucesivas sobre los egipcios. Transformó el agua del Nilo en sangre y envió bandadas de ranas, mosquitos y moscas. El faraón hizo repetidas promesas a los israelitas, pero sólo para romperlas. La respuesta de Dios consistió en enviar más plagas: enfermedades contra el ganado del faraón, forúnculos contra sus súbditos y sus animales, granizo y langostas para destruir sus cosechas y la oscuridad total sobre Egipto durante tres días. Cuando el faraón incumplió su promesa una vez más, Dios le envió la décima plaga, que finalmente acabó por decidir al faraón.

Este mural egipcio (arriba) muestra una caza de pájaros entre los papiros en la orilla del Nilo. La Biblia dice que la cesta de Moisés estaba trenzada con esta versátil planta. Es probable que las cañas entre las cuales dice la Biblia que se escondió la cesta también fueran papiros.

Los israelitas y otros extranjeros vivían en Egipto proporcionando la mano de obra (debajo) que permitió a los faraones de entonces construir sus grandes monumentos, ciudades y palacios.

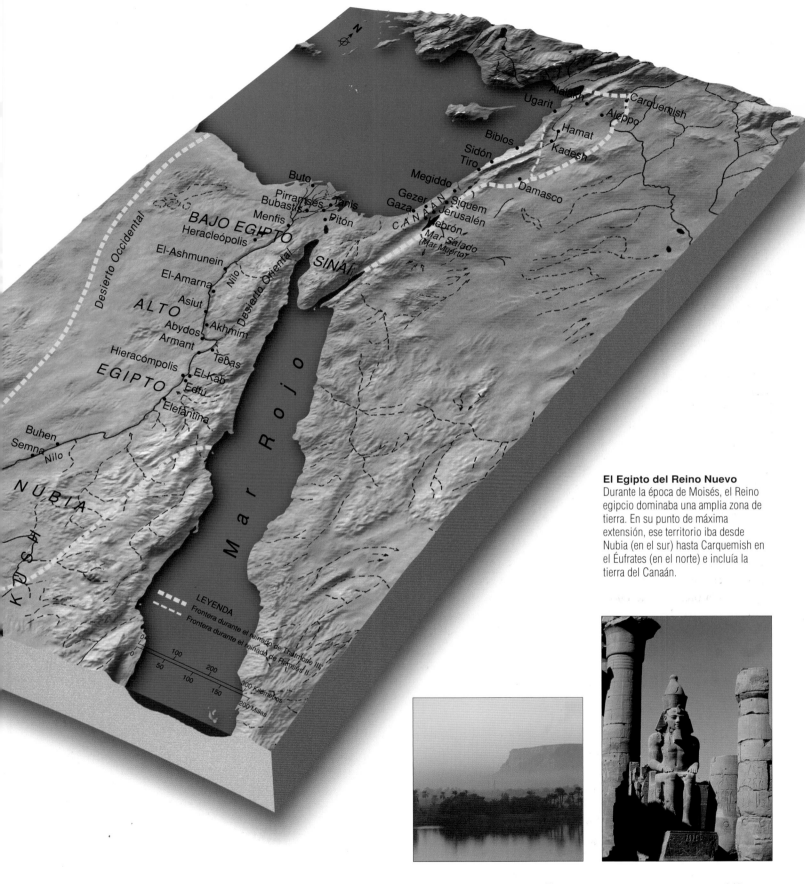

El Egipto del Reino Nuevo
Durante la época de Moisés, el Reino egipcio dominaba una amplia zona de tierra. En su punto de máxima extensión, ese territorio iba desde Nubia (en el sur) hasta Carquemish en el Éufrates (en el norte) e incluía la tierra del Canaán.

El legendario Nilo, cuyas orillas proporcionaron un escondite temporal para el niño Moisés hasta que fue descubierto por la hija del faraón y puesto bajo sus cuidados.

El templo de Karnak en el Alto Egipto proporciona una idea de los impresionantes trabajos constructivos que los israelitas se vieron obligados a realizar en Egipto para sus amos.

El Éxodo

Las aguas se abren para dejar que crucen los israelitas.

C uando el faraón se negó a acceder a la petición de Moisés de permitir que los israelitas abandonaran Egipto, Dios envió una serie de plagas para obligarle a ello, pero aquél no cedió. Finalmente, Dios decidió que enviaría una décima plaga tan dura que el faraón tendría que dejar que se fueran. A media noche, todos los primogénitos de la tierra, ya fueran príncipes, sirvientes e incluso animales, morirían. Para huir de la matanza, los israelitas tuvieron que marcar sus puertas con sangre de cordero, para que el ángel de la muerte pasara de largo. Los israelitas realizaron una comida solemne de carne asada con hierbas amargas y esperaron. Cuando llegó la medianoche, Dios acabó con todos los primogénitos varones, incluido el hijo del faraón. Éste llamó a Moisés y su hermano Aarón y les dijo que abandonaran el país con sus animales y pertenencias. Les hizo regalos de oro y plata e incluso les pidió su bendición. Libres al fin, los israelitas se dirigieron hacia el sureste, hacia Sucot. Su camino desde allí por la península del Sinaí es desconocido, excepto por el hecho de que evitaron viajar por las zonas dominadas por pueblos potencialmente hostiles, como los filisteos.

En el desierto

No se conoce con certeza cuánta gente sacó Moisés fuera de Egipto, pero una estimación de 6.000 hombres con sus esposas e hijos pro-

> ¿Ha intentado jamás un dios venir a escogerse una nación de entre otras mediante pruebas [...], mediante grandes terrores, conforme a cuanto el Señor vuestro Dios ha hecho con vosotros en Egipto?
>
> Deuteronomio 4, 34

bablemente sea razonable. Viajaron continuamente, dirigidos por una columna de humo por el día y una columna de fuego por la noche, hasta que llegaron al mar, mencionado a menudo como el «mar Rojo», donde acamparon. Probablemente se tratara de un lago poco profundo —en hebreo un «mar de cañas»— más que del propio mar Rojo propiamente dicho, situado mucho más al sur que las rutas que es más probable que utilizaran para cruzar el desierto. Fue entonces cuando se encontraron con el ejército egipcio. El faraón había cambiado de idea y decidido que, después de todo, no iba a dejar que se perdiera su valiosa fuerza de trabajo, por lo que había enviado a sus tropas a llevarlas de vuelta.

Aterrorizados, los israelitas se volvieron contra Moisés, acusándole de llevarlos a la destrucción. Moisés llamó a Dios, quien le dijo que extendiera su mano sobre las aguas. Cuando lo hizo, Dios hizo que las aguas se retiraran mediante un gran viento y los israelitas cruzaron al otro lado. Los egipcios les seguían de cerca, pero sus carros se atascaron en el barro. Entonces Moisés extendió de nuevo su mano y las aguas regresaron, llevando a los egipcios al olvido.

Las tropas del faraón fueron capaces de alcanzar a los egipcios utilizando veloces carros de guerra tirados por caballos, iguales al que se ve en la foto superior. Aunque los carros eran relativamente ligeros, junto a los caballos se quedaron atrapados en el barro cuando intentaron perseguir a los israelitas a través del «mar de cañas». Incapaces de escapar, cuando Dios cerró las aguas sobre ellos quedaron atrapados en una tumba acuática.

Los israelitas escaparon de los egipcios en un «mar de cañas», quizá semejante a esta zona del delta del Nilo (arriba izquierda). Las cañas crecen en grandes cantidades a orillas del Nilo y son un refugio para las aves acuáticas, como se ve en esta pintura mural (arriba derecha). Es imposible decir exactamente dónde se encontraba el «mar de cañas», aunque un error de traducción del original hebreo ha hecho que tradicionalmente sea asociado con el mar Rojo.

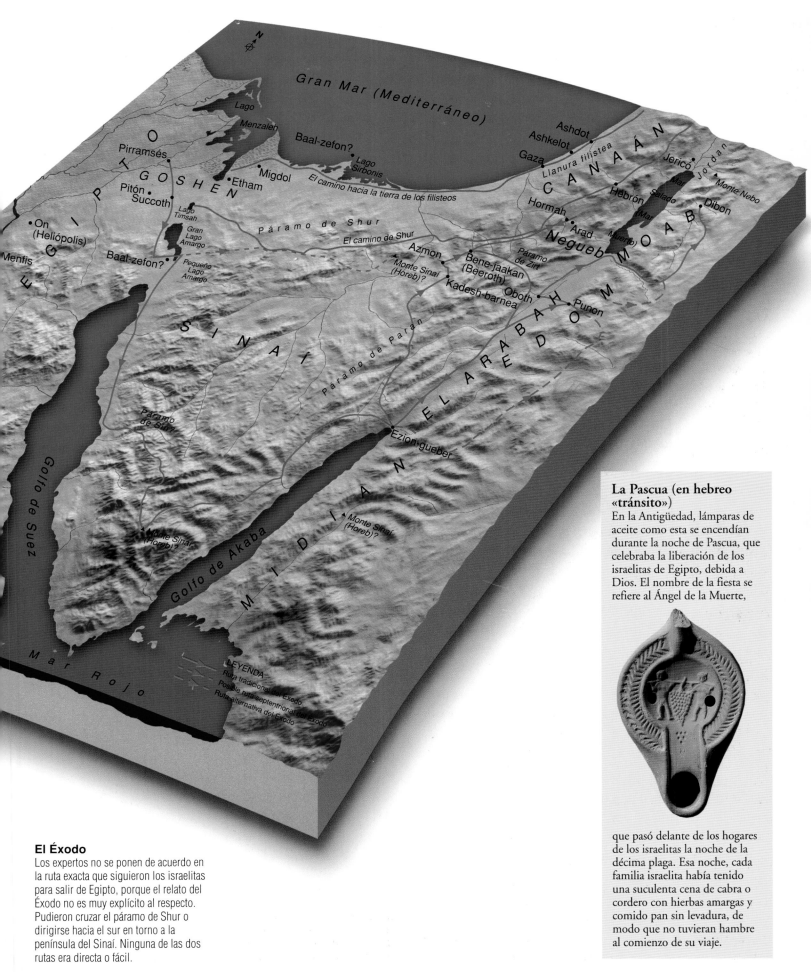

Gran Mar (Mediterráneo)

E G I P T O

GOSHEN

Pirramsés

Pitón

Succoth

On (Heliópolis)

Menfis

Baal-zefon?

Lago Menzaleh

Etham

Migdol

Baal-zefon?

Lago Sirbonis

El camino hacia la tierra de los filisteos

Lago Timsah

Gran Lago Amargo

Pequeño Lago Amargo

Páramo de Shur

El camino de Shur

Azmon

S I N A Í

Páramo de Parán

Páramo de Sin?

Monte Sinaí (Horeb)?

Golfo de Suez

Mar Rojo

Golfo de Akaba

M I D I A N

E L   A R A B A H

Monte Sinaí (Horeb)?

Ezion-gueber

Ashdot

Ashkelot

Gaza

Llanura filistea

C A N A Á N

Hormah

Arad

Bene-jaakan (Beeroth)

Kadesh-barnea

Oboth

Páramo de Zin

Negueb

Jericó

Hebrón

Mar Salado

Mar Muerto

Jordán

Monte Nebo

Dibon

M O A B

E D O M

Punon

LEYENDA
Ruta tradicional del Éxodo
Posible ruta septentrional del Éxodo
Ruta alternativa del Éxodo

El Éxodo

Los expertos no se ponen de acuerdo en la ruta exacta que siguieron los israelitas para salir de Egipto, porque el relato del Éxodo no es muy explícito al respecto. Pudieron cruzar el páramo de Shur o dirigirse hacia el sur en torno a la península del Sinaí. Ninguna de las dos rutas era directa o fácil.

La Pascua (en hebreo «tránsito»)

En la Antigüedad, lámparas de aceite como esta se encendían durante la noche de Pascua, que celebraba la liberación de los israelitas de Egipto, debida a Dios. El nombre de la fiesta se refiere al Ángel de la Muerte, que pasó delante de los hogares de los israelitas la noche de la décima plaga. Esa noche, cada familia israelita había tenido una suculenta cena de cabra o cordero con hierbas amargas y comido pan sin levadura, de modo que no tuvieran hambre al comienzo de su viaje.

La vida en el desierto

Los israelitas pudieron haber pasado en Egipto suficiente tiempo como para olvidar su antiguo modo de vida nómada y cómo enfrentarse a los rigores de la vida en el desierto. Puede que el único entre ellos que tuviera una experiencia reciente en ese duro entorno fuera Moisés, después de sus años como pastor en el desierto.

La Biblia nos cuenta cómo los israelitas dejaron Egipto junto a sus ovejas, cabras y ganado, de modo que tenían que estar en constante movimiento buscando forraje. Puede que fueran como los beduinos nómadas de la actualidad, que viven en tiendas y envueltos por capas de ropa para luchar contra los elementos.

El principal problema de los israelitas era el agua. En su vagabundeo por el desierto de Shur viajaron durante varios días encontrando sólo una fuente de agua, en Marah, que era imbebible. En esa ocasión la Biblia nos dice que el propio Dios le dijo

a Moisés que lanzara un trozo de madera al agua y eso la purificó milagrosamente. En Refidim, cerca del monte Sinaí, los israelitas estaban tan desesperados por el agua que estuvieron a punto de lapidar a Moisés por la rabia que sentían contra él por haberlos llevado a ese lugar desolado. Pero el Señor le dijo a Moisés que golpeara una roca con su cayado y de ella brotó agua. Posteriormente, cuando los israelitas estaban acampados en Moab, Dios hizo que apareciera un pozo en el árido desierto.

La comida también era difícil de encontrar. Los israelitas echaban de menos la abundante comida de Egipto y de nuevo maldijeron a Moisés por llevarlos lejos de allí, olvidando que habían sido liberados de la servidumbre. Como respuesta, Dios envió codornices y maná, una extraña comida como copos frescos que aparecía cada mañana, pero que se fundía de nuevo a media noche. Si bien encontrar agua y bandadas de pájaros migratorios en el desierto es algo fácil de explicar, los especialistas todavía tienen que ponerse de acuerdo en qué pudo haber sido el maná.

Arriba: Moisés y el pozo milagroso de Moab, procedente de un mural de la sinagoga de Dura-Europos.
Fondo: El desierto de Judea.
Mapa: Refidim, donde Moisés consiguió agua golpeando una roca.

1. Una región desolada de la montañosa parte central del Sinaí.
2. La valiosísima agua recogida en un sereno estanque a los pies del monte Sinaí.
3. El amanecer en el monte Sinaí.
4. El Sinaí central.

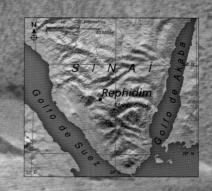

Los Diez Mandamientos

Estatuilla de bronce egipcia de un becerro.

Al tercer mes de dejar Egipto, los israelitas llegaron al monte Sinaí. Allí Moisés reunió a la gente y allí vieron temerosos cómo Dios descendía sobre la cima de la montaña en una espesa nube, acompañada de rayos y truenos. Después Dios llamó a Moisés a la cima de la montaña, donde le entregó los Diez Mandamientos, escritos en dos tablas de piedra. También le dio otras muchas leyes que los israelitas tenían que obedecer. Cuando Moisés les presentó las leyes y todo lo demás que Dios le había dado, todos gritaron su conformidad y, al hacerlo, aceptaron la Alianza con el Señor.

Moisés trepó de nuevo al monte Sinaí para recibir instrucciones sobre cómo había que conservar las tablas sagradas. Dios le dijo que construyera un arcón de madera de acacia y oro –el Arca de la Alianza–. Allí se conservarían las tablas y el Arca a su vez estaría dentro de un tabernáculo, un santuario sagrado portátil, que los israelitas llevarían con ellos.

Moisés estuvo fuera 40 días y, durante su ausencia, mucha gente se puso nerviosa. Convencieron al hermano de Moisés, Aarón, para que les hiciera un ídolo que pudieran adorar. Aarón obligó a que se fundieran sus joyas y con ellas creó un becerro de oro. Cuando Moisés llegó desde la montaña y vio a la gente bailando en torno al

> ▪ Vosotros habéis visto lo que he hecho a los egipcios [...]. Ahora bien, si escucháis atentamente mi voz y guardáis mi alianza seréis entre todos los pueblos mi posesión peculiar.
>
> Éxodo 19, 4-5

becerro, tiró con rabia las tablas al suelo, rompiéndolas en pedazos. Tras reunir a aquellos que todavía eran fieles a Dios, Moisés ordenó que todos los adoradores del becerro de oro fueran asesinados

A la vista de Canaán

Dios escribió los mandamientos de nuevo en otras dos tablas y antes de que marcharan hacia Canaán, le dio instrucciones a Moisés sobre cómo conservar las leyes que le había entregado. Luego los israelitas reanudaron su viaje y, según se fueron acercando a Canaán, Moisés envió espías para explorar. Descubrieron una tierra repleta de «leche y miel», pero cuyos habitantes eran hostiles. Al oírlo la gente se rebeló, diciendo que nunca conquistarían Canaán y exigiendo volver a Egipto. Enfadado ante su falta de fe, Dios declaró que la generación que había abandonado Egipto nunca entraría en la Tierra Prometida. Los condenó a vagar durante 40 años por el desierto, hasta que la siguiente generación estuvo dispuesta a tomar posesión de Canaán.

Moisés continuó como jefe de los israelitas, pero Dios no le permitió llevar a su gente hasta Canaán, esa tarea recaería sobre otra persona. Dios sólo permitió que Moisés mirara la Tierra Prometida, justo antes de morir, desde lo alto del monte Nebo.

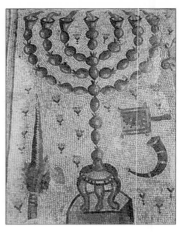

El Éxodo ofrece detalles precisos sobre la construcción del Arca de la Alianza y del tabernáculo en el que era conservada. El Arca estaba situada detrás de una cortina (arriba a la izquierda) y en la parte posterior del tabernáculo. Delante de la cortina había una menorá o candelabro, por lo general con siete brazos (arriba a la derecha).

Dios permitió a Moisés que, antes de morir con 120 años de edad, mirara a la Tierra Prometida desde lo alto del monte Nebo (arriba). Al oeste se encuentra el mar Muerto, con las montañas de Judea detrás; hacia el norte se encuentra el río Jordán, que los israelitas tuvieron que cruzar cuando por fin entraron en Canaán.

El pectoral del Juicio

Las 12 tribus de Israel que siguieron a Moisés fuera de Egipto descendían de los 12 hijos de Jacob. Cada tribu estaba representada por una piedra preciosa en el «Pectoral del Juicio» –parte de los ropajes ceremoniales del Gran Sacerdote–, dispuestas en cuatro filas de tres. De este modo, cuando entraba en el sanctasanctórum del tabernáculo –era la única persona a la que se le permitía hacerlo–. el Gran Sacerdote llevaba consigo a modo simbólico a las 12 tribus.

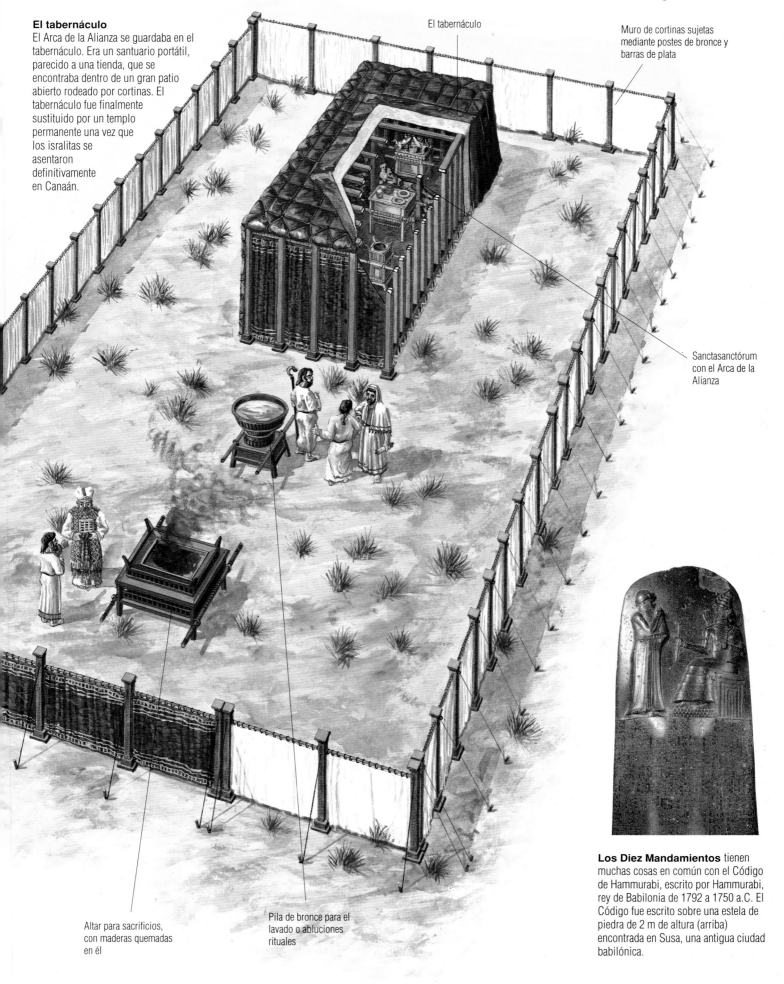

El tabernáculo

El Arca de la Alianza se guardaba en el tabernáculo. Era un santuario portátil, parecido a una tienda, que se encontraba dentro de un gran patio abierto rodeado por cortinas. El tabernáculo fue finalmente sustituido por un templo permanente una vez que los isralitas se asentaron definitivamente en Canaán.

El tabernáculo

Muro de cortinas sujetas mediante postes de bronce y barras de plata

Sanctasanctórum con el Arca de la Alianza

Altar para sacrificios, con maderas quemadas en él

Pila de bronce para el lavado o abluciones rituales

Los Diez Mandamientos tienen muchas cosas en común con el Código de Hammurabi, escrito por Hammurabi, rey de Babilonia de 1792 a 1750 a.C. El Código fue escrito sobre una estela de piedra de 2 m de altura (arriba) encontrada en Susa, una antigua ciudad babilónica.

El cruce del Jordán

Moisés estaba destinado a no dirigir nunca a su pueblo a la Tierra Prometida. Esta tarea recayó en su más cercano colaborador, el fiel Josué, que nuca había dudado de que con la ayuda de Dios los israelitas entrarían en Canaán. Antes de morir, Moisés le pasó el liderazgo a Josué delante de las tribus de Israel reunidas. Una vez fallecido Moisés, Dios le dijo a Josué que había llegado el momento de que dirigiera a su gente y cruzara el río Jordán para llegar a Canaán. Exhortó a Josué a que fuera fuerte y valiente, prometiéndole estar junto a él en los desalentadores tiempos que se avecinaban.

Espada cananea de bronce.

La tierra de Canaán que Dios le había prometido a los israelitas ya estaba ocupada por gentes que adoraban a sus propios dioses y el Señor decretó que los israelitas tendrían que invadir y conquistar a ese pueblo para poder reclamar como suya la tierra. La primera etapa de la invasión fue el cruce del río Jordán y de inmediato Josué ordenó a sus oficiales que prepararan a la gente para ello. Mientras tanto, envió espías a la cercana ciudadela cananea de Jericó. Sus espías encontraron refugio en casa de una mujer llamada Rahab, que también pudo haber sido una prostituta. Rahab le dijo a los espías que las gentes de Jericó se estaban «muriendo de miedo» ante el pensamiento de que se acercaban los israelitas. Luego les ayudó a escapar de la ciudad y a regresar junto a Josué. A cambio, ellos le prometieron que ella y su familia serían respetados cuando los israelitas finalmente atacaran Jericó.

Dentro de Canaán

Encantado con las noticias que los espías le habían traído, Josué dio orden de cruzar el río, que por entonces estaba crecido. Ordenó a los sacerdotes de que fueran delante, llevando el Arca de la Alianza. En

> ■ Cobra ánimo y sé fuerte, porque tú has de posesionar a este pueblo del país que a sus padres juré entregarles.
>
> Josué 1, 6

cuanto los sacerdotes llegaron hasta las henchidas aguas, éstas se calmaron. Mientras los sacerdotes permanecieron firmemente en medio del lecho del río, éste permaneció seco y las 12 tribus pudieron cruzar. Representantes de cada una de las tribus cogieron una piedra del lecho seco del río según fueron cruzando y al salir las apilaron en la orilla formando un mojón como recordatorio para las futuras generaciones del poder de Dios. Después de que los sacerdotes sacaran el Arca del río, las aguas regresaron, corriendo tan turbulentas como antes.

Una vez que hubieron cruzado a salvo el río Jordán, los israelitas levantaron un campamento y celebraron la Pascua. Dios le dijo a Josué que al fin la gente estaba preparada para que se les entregara la Tierra Prometida. Todo estaba dispuesto ahora para atacar su primer objetivo: la ciudad de Jericó.

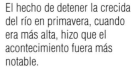

El río Jordán (arriba) no era una frontera política; sin embargo, el hecho de cruzarlo fue un momento crucial que representó la entrada de los israelitas en la Tierra Prometida.

El hecho de detener la crecida del río en primavera, cuando era más alta, hizo que el acontecimiento fuera más notable.

El Arca de la Alianza, representada aquí en una escultura de piedra, poseía un gran significado religioso y simbólico, pues conservaba las tablas con los Diez Mandamientos y otras reliquias sagradas. El Arca estaba hecha de madera de acacia y oro, con una tapa de oro macizo. Se creía que dentro del Arca se encontraba Dios invisible entronizado.

(Mediterráneo)

Sidón

Baal-gad?

Monte Hermón

Tiro

Kedesh

Merom
Fuentes de Merom

Hatzor

Achshaph

Mar de Galilea

Shimron

Megiddo

Valle de Yizrael

Jordán

Monte Ebal
Monte Garizim ▲ Siquem

Jabbak

Adam

Bethel
Ai

Jericó
Gilgal

Gibeon
Shittim

Jerusalén

Jarmuth

Valle de Acor

AMMÓN

Salado (Mar Muerto)

Dibon

MOAB

LEYENDA
✻ 5 ciudades filisteas no capturadas
✛ Ciudades capturadas por Josué
⚔ Batallas

Sobre el Jordán

Después de su viaje hacia el norte a través de Moab, los israelitas giraron hacia el oeste y cruzaron el río Jordán. Se desconoce el lugar exacto del cruce, pero probablemente se encontraba unos 25 kilómetros al norte de Jericó, en Adam, cerca de donde el río Jabbok se une al Jordán. La Biblia dice que el río se estaba secando. Esto pudo ocurrir como resultado de un corrimiento de tierras. En 1927 un terremoto produjo un movimiento de tierras semejante que bloqueó las aguas del Jordán durante más de 21 horas.

Los cananeos

La civilización cananea floreció en ciudades como Jericó y Jerusalén entre el 2000 y el 1550 a.C. Adoraban a muchos dioses, el más importante de los cuales era Baal, cuyo nombre significa «Señor» o «Amo». Se creía que Baal traía la lluvia y la fertilidad a la tierra. A menudo aparece representado con una porra, que posiblemente haya perdido esta figura de oro y bronce (derecha), que data de entre el 1400 y el 1200 a.C. Diosas de la fertilidad de arcilla y los moldes de donde fueron extraídas (abajo) se encuentran a menudo en las excavaciones de las casas privadas de la época y probablemente fueran adoradas por las mujeres.

La caída de Jericó

Un trompetista mesopotámico.

Los israelitas habían alcanzado la Tierra Prometida y se estaban preparando para conquistarla. Su primer desafío fue la captura de Jericó. Dios les indicó que anduvieran en silencio durante seis días alrededor de los poderosos muros de la ciudad, llevando consigo el Arca de la Alianza. Siete sacerdotes soplando trompetas hechas con cuernos de carnero encabezaban la procesión. Eso hicieron hasta el séptimo día, cuando rodearon la ciudad siete veces y los sacerdotes soplaron una última vez sus trompetas y los israelitas rompieron su silencio gritando muy alto, entonces lo muros de Jericó se derrumbaron, permitiendo a los invasores penetrar en la ciudad.

Dios ordenó que todo ser vivo que se encontrara en su interior fuera pasado por las armas. Sólo la familia de Rahab –la mujer que había escondido a los espías israelitas enviados para reconocer la ciudad– fue salvada de la masacre. Toda la plata, oro, bronce y hierro de la ciudad fue reunida en nombre de Dios y éste previno a los israelitas de que no cogieran nada para sí mismos. Luego Jericó fue quemada y Josué maldijo la ciudad para que nunca más volviera a reconstruirse allí una población.

> ■ Y cuando el pueblo oyó el sonido de las trompetas, alzaron gran alarido, y se desplomó la muralla, y el pueblo escaló la ciudad, cada uno por la parte que tenía enfrente y se adueñaron de la ciudad.
>
> Josué 6, 20

Las noticias de la magnífica victoria de Josué en Jericó se difundieron con rapidez y los cananeos temieron lo que pasaría después entre ellos y los israelitas. Mediante el drástico método de exterminar al enemigo, unido a la destrucción o la confiscación de todas las propiedades, Josué envió un inequívoco mensaje a las ciudades de Canaán: si querían sobrevivir tenían que rendirse a los israelitas.

La campaña continúa

Tras su éxito en Jericó, Josué envió espías a la cercana ciudad de Ai, a la que había elegido como nuevo objetivo. A su regreso los espías informaron con suficiencia que serían necesarios muy pocos hombres para tomar la ciudad. Envalentonado, Josué envió a un pequeño ejército de unos tres mil soldados, pero comprobó horrorizado que los israelitas eran derrotados; muchos de ellos fueron asesinados y los que regresaron estaban llenos de miedo. Josué se postró delante de Dios y rogó saber en qué había fallado. Dios replicó que un hombre había desobedecido sus órdenes en el saqueo de Jericó, guardando para sí objetos preciosos en vez de dárselos todos al Señor. Josué reunió a las 12 tribus de Israel y por un proceso de eliminación al final descubrió al culpable: un hombre llamado Akán, de la tribu de

Judá. Cuando Josué le preguntó, descubrió que Akán había robado monedas de oro y de plata, junto a ropas valiosas, escondiéndolo todo en su tienda.

Josué ordenó que tanto Akán como su familia fueran lapidados por esa traición. De ese modo, Josué les mostraba a todos que ni él ni Dios estaban dispuestos a tolerar ninguna desobediencia de los israelitas que pudiera poner en peligro la conquista de la Tierra Prometida.

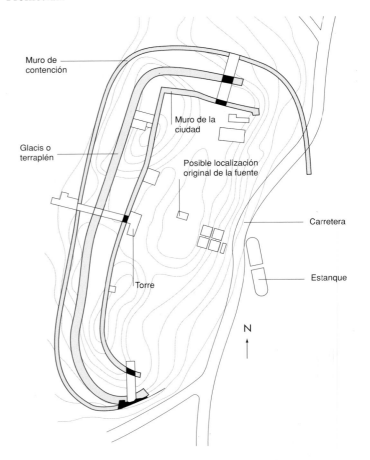

Muro de contención

Muro de la ciudad

Glacis o terraplén

Posible localización original de la fuente

Carretera

Estanque

Torre

N

La antigua ciudad de Jericó estaba situada originalmente en torno a un arroyo que le proporcionaba una fuente de agua potable. Jericó data del 8000 a.C., cuando albergaba a unas mil quinientas personas. La excavación de la ciudad ha proporcionado un estrato tras estrato de edificios. Cuando un edificio se estropeaba era arrasado y encima se construía otro, lo que fue haciendo que la ciudad se elevara lentamente.

Con sus ojos saltones, grandes orejas y estrecha barbilla, esta peculiar jarra de cerámica es uno de los objetos más notables encontrados en Jericó. Conocida como cerámica de tipo Tell el-Yahudiyeh, este ejemplo en concreto probablemente fuera una copa utilizada para ceremonias especiales.

Los antepasados

Los restos arqueológicos de Jericó sugieren que sus habitantes pueden haber adorado a sus antepasados. Las familias enterraban los cuerpos de sus familiares fallecidos en el suelo de sus casas. Las cabezas recibían un tratamiento especial, pues eran separadas del cuerpo, dejando que se pudriera la carne. Luego con arcilla se moldeaban sobre el cráneo los rasgos de la persona, en ocasiones pintados de color carne. La cuenca del ojo se rellenaba con conchas. No se sabe con certeza para qué se hacía. Puede que esas personas esperaran preservar la sabiduría de sus antepasados o puede que sencillamente quisieran mantener juntas a las distintas generaciones de la familia, conviviendo los vivos con los muertos.

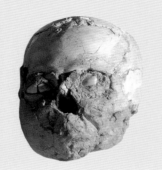

El emplazamiento de la ciudad de Jericó tal cual aparece hoy día en una vista aérea desde el norte. El montículo fue creado por los sucesivos estratos de edificios; su superficie refleja los perfiles tanto de antiguos edificios como de las excavaciones recientes.

Esta torre redonda, unida a la parte interna de las murallas de Jericó, data de c. 7000 a.C. Tiene 10 metros de diámetro y 8 metros de altura. La función más probable de esta estructura era la de vigilancia, aunque no está confirmado.

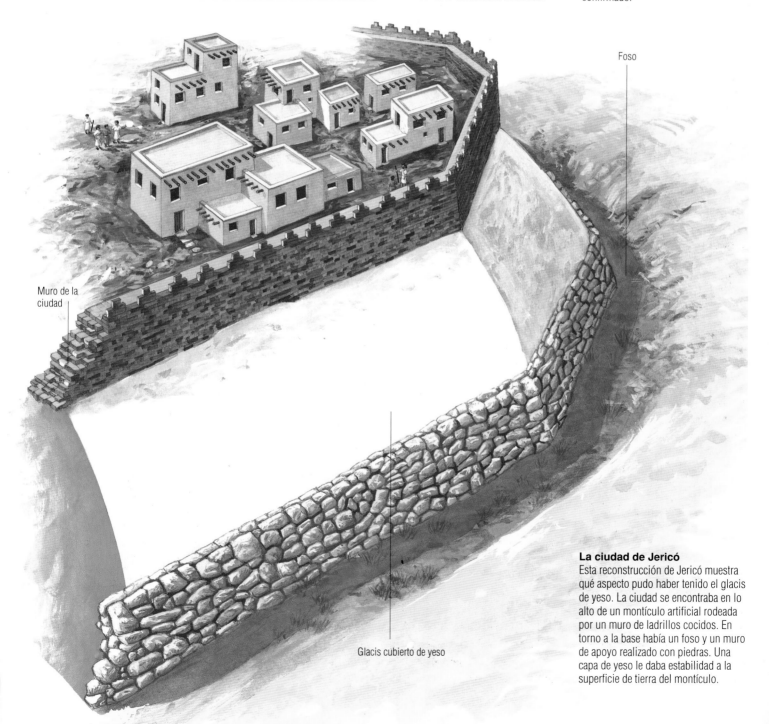

Foso

Muro de la ciudad

Glacis cubierto de yeso

La ciudad de Jericó
Esta reconstrucción de Jericó muestra qué aspecto pudo haber tenido el glacis de yeso. La ciudad se encontraba en lo alto de un montículo artificial rodeada por un muro de ladrillos cocidos. En torno a la base había un foso y un muro de apoyo realizado con piedras. Una capa de yeso le daba estabilidad a la superficie de tierra del montículo.

La conquista de Canaán

Máscara de culto de Canaán en Galilea.

Los israelitas fracasaron en su primer asalto contra la ciudad de Ai, pero animado por Dios, Josué dirigió un gran ejército contra ella y derrotó a sus defensores mediante una inteligente estrategia. Primero hizo salir a los hombres de Ai de la ciudad al fingir que se retiraba. Después, un segundo contingente israelita penetró en la ciudad indefensa y le prendió fuego, antes de acudir en ayuda del grueso del ejército. Una vez que el ejército en «retirada» de los israelitas vio el humo que salía de la ciudad, le plantaron cara al enemigo que los perseguía y los destruyeron por completo.

Por aquel entonces, Canaán no era un país unificado, era más bien una confederación no muy estricta de pequeños reinos independientes, cada uno de ellos gobernado desde una ciudad fortificada. Al escuchar que Jericó y luego Ai habían caído, muchos de esos jefes locales se unieron para resistir el avance israelita. Sin embargo, las gentes de Gabaón, al noroeste de Jerusalén, evitaron el conflicto abierto con Josué haciéndole creer que no eran vecinos hostiles, sino extranjeros de un país lejano. Negociaron un tratado con Josué mediante el cual accedían a convertirse en sirvientes del pueblo de Dios a cambio de salvar sus vidas. Josué no tardó en descubrir que le habían engañado, pero hizo honor a su promesa preservando sus vidas y convirtiéndolos en sirvientes de los israelitas.

■ Conquistó, pues, Josué todo el país [...]. Y prendió a todos sus dioses, a quienes hirió y dio muerte.

Josué 11, 16-17

Alarmado por el pacto que los gabaonitas habían firmado con los israelitas, el rey de Jerusalén llamó a los reyes de Hebrón, Jarmuth, Laquish y Eglón, para atacar Gabaón. Josué respondió a la petición de ayuda de los gabaonitas y durante la batalla que tuvo lugar, Dios acudió en su ayuda lanzando una mortal tormenta de granizo y haciendo que el sol detuviera su recorrido por el cielo. Los cananitas fueron derrotados y sus cinco reyes muertos.

Las victorias de Josué continúan

Aprovechándose del éxito, Josué se apoderó rápidamente de varias fortalezas meridionales, masacrando a sus habitantes, pero dejando en pie las ciudades. Luego le prestó atención al norte. Allí el rey de Hatzor, la principal ciudad de la Alta Galilea, reunió un enorme ejército en las Fuentes de Merom. En esta ocasión los israelitas le cortaron los tendones a los caballos de los cananeos, quemaron sus carros e hicieron huir al enemigo. Hatzor fue capturada e incendiada, mientras que las ciudades de alrededor eran conquistadas. Josué había conseguido suficiente territorio como para dividirlo entre las 12 tribus de Israel. En líneas generales la Tierra Prometida se encontraba ahora bajo el dominio israelita.

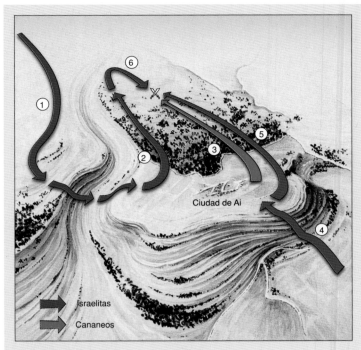

Ciudad de Ai

israelitas

Cananeos

La batalla de Ai
El grueso del ejército (1) de Josué llegó desde Jericó y se acercó a la ciudad de Ai. Luego fingió una retirada (2) que hizo que los soldados de Ai salieran en su persecución (3). Un segundo cuerpo de ejército israelita penetró entonces en la ciudad indefensa, masacró a sus habitantes y le prendió fuego. (4) Esas tropas se apresuraron después a unirse al grueso del ejército, que había visto el humo de la ciudad en llamas y se había enfrentado a los cananeos. (5) En la batalla que se entabló entonces (6) el ejército de Ai fue completamente aniquilado por los israelitas.

Las ruinas de la ciudad de Hatzor en Galilea (abajo). Según la Biblia, Hatzor fue una de las ciudades más importantes que arrasó Josué en su campaña de conquista de Canaán. Se enfrentó a las fuerzas combinadas de Hatzor y otros reinos vecinos en las Aguas de Merom, derrotándolas con facilidad.

N

Gran Mar (Mediterráneo)

Tiro

Dan

DAN

Acco

ASHER

Fuentes de Merón

Hatzor

NEFTALÍ

ZEBULÓN

Dor

Mar de Galilea

ISACAR

Megiddo

Ashtaroth

Beth-shean

M A N A S É S

Joppa

Siquem

G

E F R A I M

Shiloh

A

Beth-horon de arriba

Jordán

D

Beth-horon de abajo

Bethel

Ashdod

Ekron

Gezer

Ai

Ascalón

Gibeon

Rabbah

Beth-shemesh

DAN

BENJAMÍN

Gilgal

FILISTEA

Gat

Jericó

Libnah

Jarmuth

Jerusalén

A M M Ó N

Eglón

Laquish

J U D Á

R U B É N

Ziklag

Hebrón

Mar Salado (Mar Muerto)

Beersheba

EON

M O A B

E D O M

0

0   60

25

50   120 Kilómetros

75 Millas

El asentamiento en Canaán

Este mapa muestra cómo se dividió la tierra de Canaán entre las 12 tribus de Israel tras la exitosa invasión de la región. Aunque Josué no conquistó todo Canaán, no tardó mucho tiempo en conseguir suficiente territorio como para entregarle una zona distinta a cada una de las Doce Tribus. La mayoría consiguieron tierras al oeste del río Jordán.

Armas de la Edad del Bronce, entre ellas (de izquierda a derecha) una hoja de puñal y dos puntas de lanza, así como una piedra para ser arrojada. El diseño básico de las armas cambió poco con los siglos y, aunque estos ejemplares son de un período anterior, tanto los israelitas como los cananeos pudieron haber estado armados con armas de este tipo durante la lucha por la Tierra Prometida.

Cuenco de ofrendas en forma de pájaro encontrado en el tercer templo de Tell Qasile.

Los filisteos

En torno al 1200 a.C., las tierras del este del Mediterráneo fueron atacadas por sucesivas oleadas de «Pueblos del Mar» procedentes de lo que ahora son Grecia y Turquía occidental. Uno de esos grupos, los filisteos, comenzaron a asentarse en la llanura costera de Canaán, en la zona conocida posteriormente como Filistea o Palestina, como la conocían los griegos. Los documentos egipcios afirman que el faraón Ramsés III (c. 1183-1152 a.C.) infligió dos severas derrotas a los filisteos y otros Pueblos del Mar en una lucha para mantener el control egipcio sobre la región. A pesar de ello, los filisteos no tardaron en estar firmemente asentados en la zona.

Al contrario de lo que es la creencia general, los filisteos poseían una cultura altamente desarrollada. Eran habilidosos metalúrgicos y su cerámica demuestra la influencia de la avanzada civilización micénica de Grecia; en los yacimientos filisteos se han encontrado muchas jarras de cerveza y copas de vino. Su poder se concentraba en una federación de cinco ciudades, cada una de las cuales tenía su propio señor: Gaza, Ascalón y Ashod se encontraban en la costa, mientras que Gat y Ekron estaban tierra adentro. Las habilidades militares de los filisteos, sus armas de hierro y sus efectivas armaduras les permitieron subyugar a los pueblos cananeos locales y luego extender su control hasta las tierras israelitas adyacentes. Este dominio es el que proporcionó el telón de fondo para la historia bíblica de Sansón.

La religión filistea

Los detalles de la religión filistea no se conocen con exactitud, pero las influencias de Oriente Medio, Egipto y Canaán eran fuertes. El principal dios filisteo, Dagón, probablemente fuera adoptado de los cananeos. Como dios de la fertilidad de las cosechas y el renacimiento natural, Dagón era adorado por todo el Oriente Próximo y Medio y se sabe que su culto comenzó en torno al 2000 a.C. Aparece representado a menudo con la cabeza y los brazos de un hombre y cola de pescado. Dagón está muy relacionado también con el dios cananeo Baal.

En Tell Qasile, justo al norte de la moderna Tel Aviv y cerca de la frontera septentrional de las tierras filisteas, se ha excavado un templo filisteo que fue utilizado desde el 1150 hasta el 1050 a.C. Es probable que la deidad que se adoraba en él no fuera Dagón, sino más bien una variante de la diosa Madre Tierra, que recibía culto con diferentes nombres por todo el Oriente Próximo y Medio. En el yacimiento se han encontrado tres templos, cada uno de ellos construido sobre el anterior. En el mayor y más moderno de ellos, la techumbre del salón principal descansaba sobre dos columnas de madera de cedro con bases ornamentales de piedra. Junto a los muros había bancos corridos de piedra recubiertos con yeso. En el extremo occidental había un altar elevado, tras el cual se encontraba la habitación donde se guardaban las ofrendas. Se han encontrado muchos recipientes de cerámica utilizados en los rituales algunos decorados con motivos animales, así como figuritas femeninas y máscaras de cerámica con caras humanas y animales. Los restos de cenizas y huesos de animales sugieren que el culto implicaba sacrificios animales.

Tercer templo de Tell Qasile
Esta reconstrucción (derecha) se basa en el tercer templo de Tell Qasile, construido en el siglo XI a.C. El edificio tiene 14,5 metros de largo y 8 metros de ancho. Las ilustraciones de debajo muestran las diferentes etapas de construcción del templo.

Cerámica filistea (izquierda). Estas figuras son las dos típicas del estilo filisteo del trabajo de la arcilla. La de arriba es una gran tapa, realizada para ser colocada sobre un sarcófago de arcilla. Tiene rasgos humanos estilizados, incluidos unos pequeños brazos doblados sobre el pecho. Debajo aparece una diosa de la fertilidad procedente del segundo templo de Tell Qasile. Tiene 33 cm de alto y probablemente fuera utilizada como vaso de libación, con los pechos actuando como pitorros.

Las excavaciones en Tell Qasile (debajo) permitieron descubrir en 1980 una amplia variedad de artefactos, como incensarios, jarras, cuencos y un brazalete de hierro. Los huesos de animales encontrados en torno al altar sugieren que ovejas, bóvidos, cabras e incluso un hipopótamo fueron sacrificados a la diosa mientras el templo estuvo en uso.

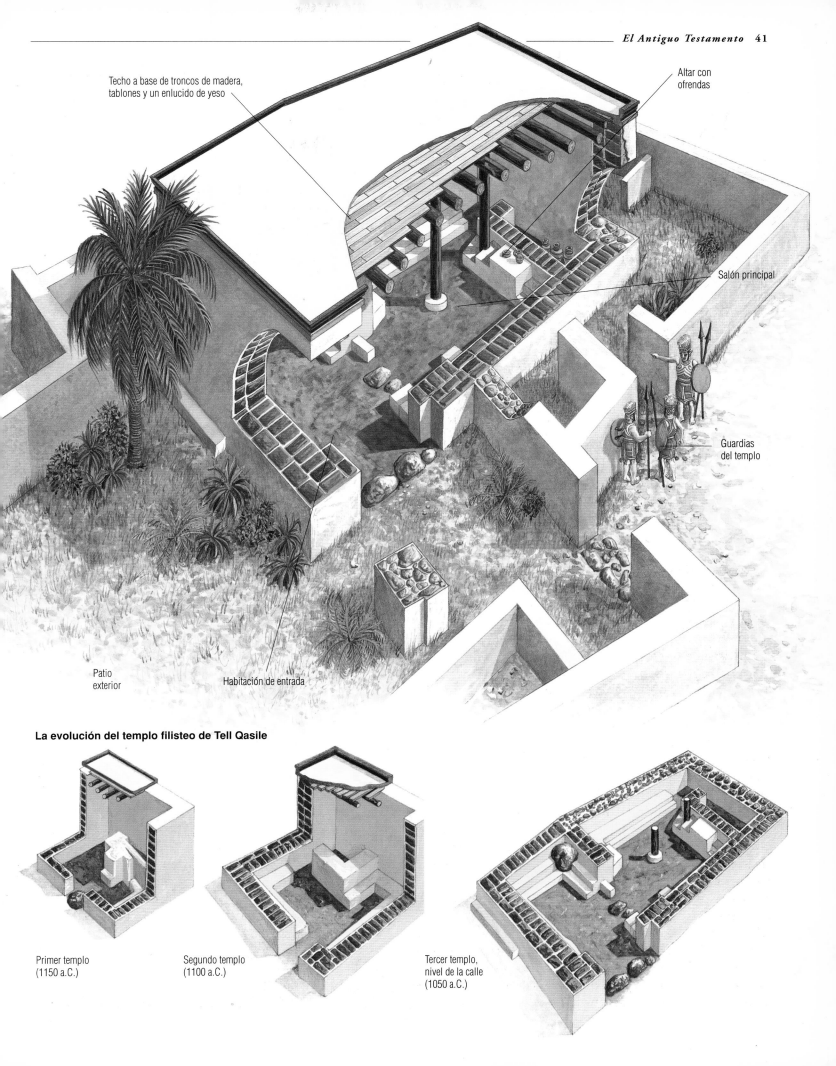

Techo a base de troncos de madera, tablones y un enlucido de yeso

Altar con ofrendas

Salón principal

Guardias del templo

Patio exterior

Habitación de entrada

La evolución del templo filisteo de Tell Qasile

Primer templo (1150 a.C.)

Segundo templo (1100 a.C.)

Tercer templo, nivel de la calle (1050 a.C.)

Un vaso filisteo muy
decorado.

Sansón y los filisteos

E l creciente poder de los filisteos en las zonas costeras de Canaán no tardó en provocar conflictos entre éstos e israelitas. Las zonas israelitas en las regiones montañosas del norte y el oeste fueron quedando lentamente bajo control filisteo. Aunque las gentes de ambas naciones vivían en comunidades vecinas, la Biblia deja claro que a comienzos del siglo XI a.C. los israelitas se sentían molestos con el dominio filisteo; finalmente, Dios les proporcionó un libertador.

Dios le dijo a la esposa estéril de un hombre llamado Monah que daría a luz un hijo que tenía que ser educado siguiendo el más estricto régimen religioso y, lo que era más importante, cuyo cabello nunca se cortaría. El niño fue llamado Sansón.

Sansón y el león

Un día, cuando Sansón hubo crecido, vio a una mujer en la cercana ciudad filistea de Timnah con la que de inmediato quiso casarse. De

■ Sedúcelo y observa dónde estriba su enorme fuerza y cómo lo podríamos dominar [...]

Jueces 16, 5

regreso a la ciudad con sus padres, Sansón fue atacado por un león. Henchido con la fuerza de Dios, lo despedazó con las manos desnudas. De regreso a casa vio un enjambre de abejas y algo de miel en el cuerpo del león, cogió parte de la miel y se la comió. No le comentó a nadie el incidente.

Sansón se casó con su novia filistea y en el banquete de bodas les propuso un acertijo a los invitados: «Del que come salió comida y del fuerte salió dulzura». Prometió 30 piezas de ropa a cualquiera que lo resolviera, pidiendo lo mismo si nadie daba con la solución. Incapaces de resolverlo, los invitados le dijeron a la esposa de Sansón que lo matarían si no lo resolvía por ellos. Aterrorizada, le sonsacó la solución a Sansón –era una referencia al león y la miel– y se la dijo a los invitados. Furioso, Sansón mató a 30 filisteos, dio sus

Leones tallados luchando con furia en un relieve de basalto encontrado en la ciudad cananea de Beth-shean. En la actualidad se encuentra en el Museo de Jerusalén. La imagen del león se utilizaba generalmente para representar un gran poderío físico y era un símbolo importante tanto en el Oriente Próximo y Medio como en la Grecia micénica, que influyó mucho en la cultura filistea. El hecho de que Sansón se las arreglara para matar a un león con las manos desnudas sirvió para ilustrar la magnitud del poder sobrehumano concedido por Dios.

Relieve de piedra (arriba), procedente del templo de Ramsés III en Egipto, en donde se ve a soldados filisteos, identificados por sus cascos con plumas y sus faldas con borlas, siendo conducidos como prisioneros tras la gran victoria egipcia sobre los Pueblos del Mar en el 1180 a.C. Es probable que los filisteos fueran los enemigos más fuertes a quienes se enfrentaron los israelitas en el período anterior a la unificación del reino de Israel con el rey David en el año 1000 a.C.

ropas a los otros invitados y luego abandonó a su nueva esposa. Posteriormente intentó visitarla, pero su padre no le dejó. Como venganza le prendió fuego a los campos de trigo, las vides y los olivos de los filisteos. Los israelitas, temerosos de las consecuencias, ataron las manos de Sansón y se lo enviaron a sus jefes, pero se escapó fácilmente y mató a mil filisteos utilizando únicamente una quijada de asno como arma.

Sansón y Dalila

La fuerza de Sansón se volvió legendaria y consiguió una gran reputación como un líder militar extraoficial en la cada vez más encona-

Los filisteos desarrollaron un característico estilo cerámico tras su llegada a Canaán. Esta elegante jarra de cerveza (derecha) data del siglo XII a.C., el período en el que los filisteos se asentaron en Canaán. Está decorada con un estilo muy fluido realizado a mano.

Los filisteos en Canaán
Los filisteos probablemente procedieran del Mediterráneo oriental y se trasladaron a Canaán durante las migraciones de los Pueblos del Mar. Controlaron el suroeste de Canaán desde sus cinco ciudades principales: Ashdod, Ascalón, Ekron, Gat y Gaza. Al ir invadiendo las tierras vecinas, los filisteos no tardaron en generar resentimiento y resistencia entre los israelitas. Las historias de las hazañas de Sansón describen gran parte de la tensión de la época.

da lucha entre ambos pueblos. Entonces conoció a otra mujer filistea, que sería su perdición.

Sansón se enamoró de Dalila y los gobernantes de la ciudad le ofrecieron un soborno enorme si descubría el secreto de la fuerza de Sansón. Tres veces le preguntó y tres veces la engañó Sansón. Al final su persistencia tuvo recompensa y Sansón le reveló la verdadera historia de su poder: su largo cabello sin cortar. Cuando dormía con la cabeza en su regazo, Dalila le cortó el pelo. Sin sus trenzas, Sansón perdió su fuerza sobrehumana, los filisteos se apoderaron de él, lo ataron con cuerdas y le sacaron los ojos.

Para celebrarlo, los filisteos se reunieron en el templo de Dagón en Gaza para ofrecer un gran sacrificio. Sansón fue llevado para divertirlos. Oró fervientemente a Dios, rogándole que le devolviera su fuerza. Luego le pidió que le permitiera derribar las dos columnas que sujetaban el techo del templo. Apoyándose contra ellas, empujó con todo su poder. El templo se vino abajo, aplastando tanto a Sansón como a sus captores.

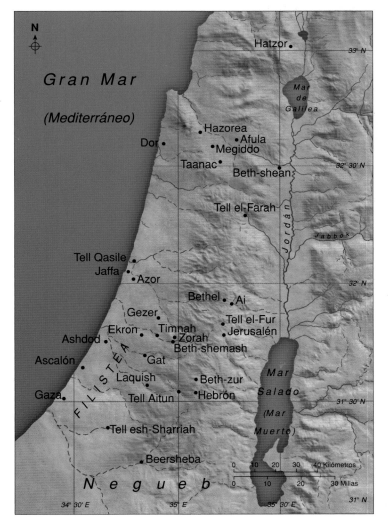

Samuel y Saúl

Los israelitas continuaron su lucha con los filisteos hasta que finalmente sufrieron una severa derrota ante ellos: la captura del Arca de la Alianza. El Arca se guardaba en un altar en Shiloh, protegido por el sacerdote Elí. Éste era un buen hombre, pero sus hijos eran pecadores y perversos. Una noche el joven ayudante de Elí, Samuel, escuchó la voz de Dios avisándole de un inminente desastre que caería sobre los israelitas como castigo por los delitos de los hijos de Elí. Poco después, los filisteos consiguieron una gran victoria en Afek y los israelitas decidieron llevar el Arca de la Alianza a la siguiente batalla para mejorar sus posibilidades de victoria. Cogieron el Arca en Shiloh y los hijos de Elí la llevaron a la batalla. Los filisteos se aterrorizaron, pero aún así los israelitas resultaron derrotados. Los hijos de Elí resultaron muertos en la batalla y el Arca fue capturada por el enemigo.

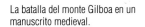

La batalla del monte Gilboa en un manuscrito medieval.

Sin embargo, el Arca demostró ser un engorro para los filisteos. Cuando la llevaron al templo de su dios, Dagón, la estatua de éste cayó delante de ella y se hizo añicos. No importaba a dónde llevaran el Arca, los desastres lo acompañaban: a las personas les salían tumores y sus ciudades eran invadidas por las ratas. Tras siete meses de sufrimiento debido a su presencia, los filisteos, desesperados, se la devolvieron a los israelitas.

Samuel se convierte en Juez y en el líder de Israel

Cuando el Arca fue devuelta, el sacerdote Elí había muerto, pero Samuel, su protegido, tomó su lugar y creció hasta convertirse en Juez y líder de su pueblo. Samuel los dirigió bien, pero como el conflicto con los filisteos continuaba, los israelitas sintieron la necesidad de una autoridad central más fuerte, por lo que comenzaron a pedir

> ■ Samuel tomó entonces el frasco de óleo y lo vertió sobre la cabeza de Saúl [...] diciendo «¿no te ha ungido el Señor?»
>
> 1 Samuel 10, 1

un rey. Samuel estuvo de acuerdo y comenzaron a buscar un candidato adecuado.

La elección recayó en Saúl, un hombre reconocido por sus bravura y gran presencia física. Samuel lo ungió rey y Saúl no tardó en enfrentarse a los filisteos, consiguiendo una espectacular victoria en Micmash. Todo el reinado de Saúl trascurrió luchando contra los enemigos que amenazaban a Israel por todos los lados. Aunque era un gran guerrero, Saúl no carecía de defectos: desobedeció a Dios y sufría de fuerte depresiones. Poco a poco Samuel comenzó a lamentar su elección y se volvió contra Saúl. Siguiendo las instrucciones de Dios, Samuel ungió en secreto a David, un joven pastor de Belén, como eventual sucesor de Saúl. Samuel ya no tenía nada que hacer respecto a Saúl y algunos años después murió en paz, siendo llorado por todo Israel.

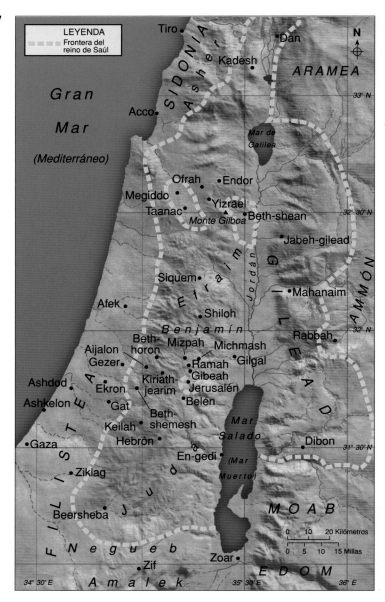

El reino de Saúl

Saúl se convirtió en el primer rey de Israel en torno al 1030 a.C. Salió victorioso de muchas batallas contra los filisteos y otras tribus guerreras del Canaán. Según fueron cambiando las fuerzas, tanto de su ejército como del de sus enemigos, lo hicieron las fronteras de su reino. El mapa presenta la mayor extensión del reino de Saúl en la cumbre de su poder militar.

Saúl continuó oponiéndose a los filisteos y finalmente se enfrentó a un gran ejército en el monte Gilboa. Antes de la batalla Saúl pidió el consejo de Dios, pero el Señor no le respondió. Entonces Saúl buscó el consejo de una médium, la bruja de Endor, convenciéndola para que conjurara el espíritu de Saúl. El espíritu criticó a Saúl y le predijo un desastre. Durante la batalla los israelitas sufrieron una terrible derrota y Saúl se arrojó sobre su propia espada antes de dejar que lo capturaran. Los filisteos decapitaron su cuerpo y lo colgaron en alto. Después los hombre de Jabesh de Galaad, una ciudad a la que Saúl salvó una vez del enemigo, se apoderaron de su cuerpo y lo enterraron.

Esta escarpada zona en torno a Beth-horon (las dos imágenes de arriba) es típica de la zona de las montañas efraimitas en donde tuvo lugar gran parte de la lucha entre israelitas y filisteos. Este terreno daba a ambas partes la posibilidad de

utilizar tácticas guerrilleras, con emboscadas e incursiones; sus cuevas y valles proporcionaban excelentes refugios. Desde Micmash los israelitas enviaron grupos de incursión, uno de los cuales recorrió la carretera de Beth-horon.

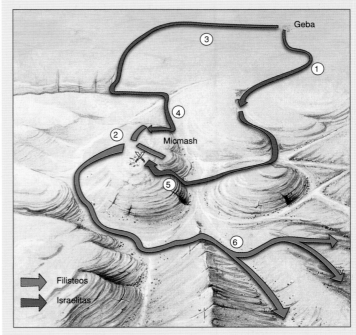

La batalla de Micmash

La garganta de Micmash (derecha) era una de las principales rutas filisteas desde la costa hasta el interior y fue donde tuvo lugar una de las mayores victorias de Saúl. El éxito de Saúl se debió principalmente al ataque por sorpresa de su hijo Jonathan, junto a su escudero, contra las fuerzas filisteas, lo que las sumió en la confusión. El plano de la batalla (arriba) muestra (1) el camino del ejército de Saúl desde Geba hasta Migron, (2) las fuerzas filisteas que bloqueaban el paso del Micmash, (3) el camino de Jonathan y su escudero desde Geba, (4) el ataque

por sorpresa de Jonathan contra la fuerza del bloqueo, (5) el ataque frontal de Saúl contra los filisteos en Micmash y (6) la derrota de los filisteos.

Samuel escoge a Saúl para que sea el rey de los israelitas en un fresco del siglo XIII de la catedral de Anagni, en Italia. Representa al barbado Samuel, con una aureola, ofreciendo comida a Saúl, sentado a la derecha de la mesa. Habiéndose encontrado antes a Saúl en la calle, Samuel lo invitó a su casa. Al día siguiente, mientras Saúl se preparaba para volver a su casa, Samuel lo llevó aparte y lo ungió, diciéndole que sería el soberano del pueblo de Israel y que lo libraría de sus enemigos.

David y Goliat en un manuscrito del siglo XIII.

El ascenso de David

Siguiendo las instrucciones de Dios, el sacerdote Samuel fue a Belén para ungir a uno de los hijos de Jesé como rey sucesor de Saúl. Temiendo que Saúl lo supiera y se enfadara, Samuel mantuvo su propósito en secreto, limitándose a pedirle a Jesé y su familia que se unieran a él para el sacrificio.

Samuel se encontró con siete de los hijos de Jesé, pero no reconoció a ninguno de ellos como el elegido de Dios. Cuando Samuel preguntó si Jesé tenía más hijos, le contestaron que el más joven, David, estaba cuidando las ovejas. David fue mandado a buscar y al encontrarse con él, Samuel supo de inmediato que ése era el hermano elegido por Dios para que lo ungiera.

David fue a la corte de Saúl y al principio contó con el favor del rey. Curaba las depresiones del rey tocando música con su harpa –la tradición hace de David el autor de muchos de los Salmos–. Por esas fechas, el campeón filisteo Goliat, un hombre de más de tres metros de altura y bien armado, desafiaba a los israelitas para que encontraran a un adversario que se le enfrentara en combate singular. Ninguno de los israelitas se atrevió a ello, excepto David, que se ofreció voluntario. Saúl estuvo de acuerdo y David salió armado sólo con una honda a enfrentarse a los insultos de Goliat. Utilizando una piedra lisa del río como munición, David golpeó la frente de Goliat. Le dio de lleno y murió instantáneamente. David le cortó la cabeza y fue aclamado como un héroe. Se hizo amigo íntimo del hijo del rey, Jonathan, y se casó con una de sus hijas. Pero Saúl se puso celoso de la popularidad de David e intentó matarlo. Temiendo por la vida de su amigo, Jonathan advirtió a David del Peligro y éste escapó.

■ Y a David escogió como servidor suyo [...] porque a Jacob, su pueblo, pastoreas e y a Israel su heredad.

Salmo 78, 70-71

Saúl persigue a David

En vez de luchar contra el enemigo filisteo, Saúl se dedicó a perseguir a David, pero cuando sus hombres se estaban acercando a él, Saúl fue llamado para que respondiera a un ataque filisteo. David huyó entonces a En-gedi, una fuente en el desierto. Cuando Saúl reanudó la caza, David y sus hombres se escondieron en una cueva. Saúl llegó a entrar en la cueva donde se escondían, pero no los vio. Los hombres de David le animaron a matarlo, pero éste se negó y en vez de ello le cortó un trozo de su vestido. Luego David siguió a Saúl fuera de la cueva y le dijo lo que había pasado. Saúl se llenó de remordimientos y durante algún tiempo se reconciliaron. No obstante, la enemistad de Saúl continuó y de nuevo David le demostró su lealtad. Una noche David entró a robar en el campamento del rey y se detuvo cuando estaba a punto de matarle, limitándose a quitarle la lanza y la jarra de agua

que había junto a él como prueba de que había estado allí. Al saber que David de nuevo había dejado pasar una oportunidad de matarlo, Saúl volvió a tener remordimientos. A pesar de ello, David todavía le temía y buscó refugio en la corte de Aquish, un rey filisteo. Aquish quería que David se uniera a él contra Saúl, pero los otros filisteos se opusieron, por lo que David no estubo presente durante su victoria en el monte Gilboa, donde tanto Saúl como su querido amigo Jonathan resultaron muertos.

Este mosaico del siglo IV procedente de una basílica en Italia representa a un dios pastor con sus ovejas. El joven David habría sido una figura como esta. A David, el más joven de los ocho hijos de Jesé, se le encargó la tarea menor de cuidar las ovejas de su padre. Al igual que el pastor de la imagen, con su flauta de Pan, David también era músico. Tocaba el arpa y se le atribuye la redacción de muchos de los Salmos. Fue a la corte de Saúl como músico para remediar las depresiones del rey con su música.

Samuel unge a David como rey de los judíos en una pintura del siglo III procedente de la sinagoga de Dura-Europos, Siria –en la actualidad en el museo de Damasco–. Samuel viajó hasta Belén para encontrar el nuevo rey entre los hijos de un hombre llamado Jesé. Después de ver a sus ocho hijos se dio cuenta de que era el más joven quien había sido elegido por Dios y lo ungió delante de sus hermanos.

David dio muerte a Goliat en el valle de Elah (arriba). Saúl y los israelitas estaban acampados en una colina a un lado del valle, con los filisteos situados frente a ellos en otra colina. Los dos ejércitos tuvieron una excelente visión del aparentemente desigual enfrentamiento entre el gigante Goliat y el niño David. Cuando vieron a su campeón muerto por un disparo de la honda de David, los filisteos huyeron.

Proyectil de piedra.

La mortal honda

La honda, en realidad una catapulta en miniatura, era un arma habitual en tiempos de David. Los pastores las utilizaban para ahuyentar a los depredadores que amenazaban a sus rebaños, de modo que es probable que David aprendiera a manejarla cuando se le encargó que cuidara a las ovejas de su padre. Sencillas, ligeras y fáciles de transportar, las hondas se hacían con una bolsa de cuero o tela con bordes anchos o con cuerdas en sus bordes. Los proyectiles de piedra, como el que aparece arriba, se fabricaban a propósito para ser utilizados con las hondas, anque las piedras naturales del tamaño, la forma y el peso adecuados eran igual de efectivas. La piedra se colocaba en la bolsa, se giraba por encima de la cabeza y se soltaba, como se ve en el relieve arameo de arriba a la izquierda. En manos de un lanzador diestro en su arte, la honda necesita poca fuerza para ser efectiva. Era el arma perfecta para el ligero y hábil David contra el pesado y fuertemente armado Goliat.

La fuente de En-gedi (izquierda) se encuentra en una zona yerma situada en la orilla occidental del mar Muerto, al este del páramo de Judá. Este oasis está rodeado por montañas repletas de cuevas en las que David se refugió de Saúl y sus tropas. Saúl se volvió contra David por los celos provocados por la creciente popularidad del joven tras su victoria contra Goliat.

El rey David representado en un salterio del siglo xv.

El Reino de David

Tras la decisiva batalla del monte Gilboa entre israelitas y filisteos, donde tanto el rey Saúl como su hijo Jonathan resultaron muertos, la realeza recayó sobre David, hijo de Jesé. David había sido ungido como sucesor de Saúl algunos años antes y se convertiría en el más grande de los reyes de Israel y en el autor de muchos de los Salmos. Sin embargo, al principio David sólo heredó problemas. Los filisteos actuaron con rapidez tras su victoria en el mote Gilboa y recuperaron las tierras que habían perdido anteriormente ante los israelitas. El otro hijo de Saúl, Isboset cruzó el Jordán y creó allí un gobierno en el exilio opuesto a David, que residía en Hebrón. Las casas rivales dividieron la lealtad de los israelitas y dieron pie a un conflicto que duró varios años.

La guerra fue debilitando lentamente las fuerzas de Isboset y a los pocos años fue asesinado por sus propios hombres. David, que por entonces tenía 38 años, se convirtió en rey de un Israel unido y gobernaría hasta su muerte 33 años después.

La toma de Jerusalén

La primera decisión militar de David fue la de atacar la ciudad de Jerusalén, que por entonces era una de las principales fortalezas cana-

■ Me ha hablado la Roca de Israel: «El que domina con el temor de Dios es cual luz matinal cuando el sol se levanta [...]».

2 Samuel 23, 3-4

neas. Sus hombres encontraron un túnel que pasaba por debajo de las murallas de la ciudad desde la fuente de Gihon, que proporcionaba agua a la ciudad, y lo utilizaron para penetrar a ella por sorpresa. La ciudad cayó sin lucha y David hizo de ella su capital, situada como estaba en la frontera entre Judá y el resto de Israel. Construyó un palacio real para dejar recuerdo de la victoria y, con gran regocijo, hizo traer el Arca de la Alianza a Jerusalén tras haber permanecido olvidada durante una generación. Su presencia hizo de la capital de David el centro de la vida religiosa de la nación, un símbolo de la bendición divina de su reino.

Alarmado por el nuevo poder de David, los filisteos unieron sus fuerzas, pero David los derrotó por completo. Consiguió más éxitos militares, extendiendo su reino hacia el este del Jordán. En contraposición a esas victorias, la vida cortesana de David estaba llena de intrigas y tragedias. David se enamoró de una bella mujer a la que vio bañándose. Se trataba de Betsabé, la esposa de Urías el Hitita, uno de los mejores soldados de David. El rey la mandó llamar, yació con ella y ésta quedó embarazada. Para esconder su pecado, David se aseguró de que Urías resultara muerto en batalla y tomó a Betsabé como esposa. Pero sus actos enfadaron a Dios y su hijo, un niño, murió. Posteriormente Betsabé le daría otro hijo a David, Salomón, a quien Dios amaría.

Hubo más problemas cuando Amnón, otro de los hijos de David, violó y luego rechazó a Tamar, su hermanastra. Absalón, el hermano de Tamar, mató a Amnón y huyó, volviendo sólo para dirigir una revuelta contra su padre. La revuelta fue aplastada y Absalón resultó muerto, pero David lloró mucho su pérdida.

David vivió hasta una edad avanzada, rodeado por conjuras por la sucesión entre sus hijos. Influido por los ruegos de Betsabé, terminó nombrando heredero a su hijo Salomón.

Muchos de los Salmos del Antiguo Testamento se le atribuyen tradicionalmente al rey David. El Libro de los Salmos es una colección de 150 poemas e himnos de gran belleza que describen la respuesta de una persona ante Dios. Las imágenes de David a menudo lo representan tocando la lira, como en este suelo de mosaico de una sinagoga judía en la ciudad de Gaza.

Muros defensivos de la ciudad

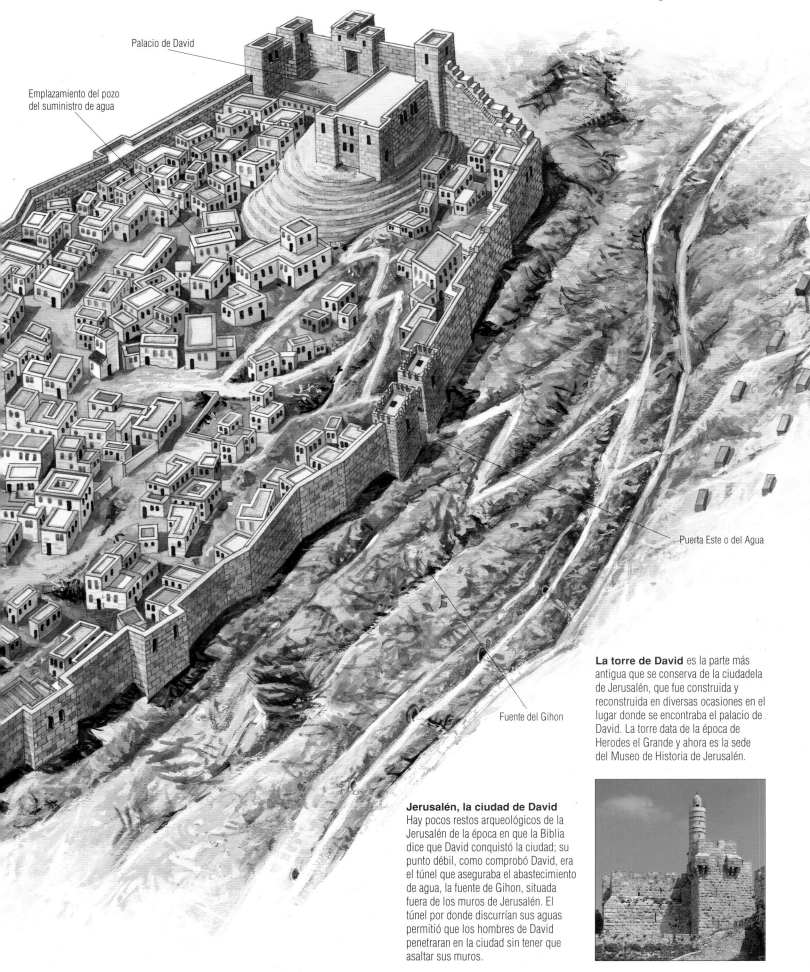

Palacio de David

Emplazamiento del pozo del suministro de agua

Puerta Este o del Agua

Fuente del Gihon

La torre de David es la parte más antigua que se conserva de la ciudadela de Jerusalén, que fue construida y reconstruida en diversas ocasiones en el lugar donde se encontraba el palacio de David. La torre data de la época de Herodes el Grande y ahora es la sede del Museo de Historia de Jerusalén.

Jerusalén, la ciudad de David
Hay pocos restos arqueológicos de la Jerusalén de la época en que la Biblia dice que David conquistó la ciudad; su punto débil, como comprobó David, era el túnel que aseguraba el abastecimiento de agua, la fuente de Gihon, situada fuera de los muros de Jerusalén. El túnel por donde discurrían sus aguas permitió que los hombres de David penetraran en la ciudad sin tener que asaltar sus muros.

Una imagen medieval del juicio de Salomón.

La sabiduría de Salomón

D avid murió en paz tras un largo reinado lleno de acontecimientos y su sucesor fue Salomón. No mucho después de convertirse en rey, Salomón tuvo un sueño en el que Dios le decía que le pidiera lo que quisiera. Salomón admitió su inexperiencia y sólo le pidió sabiduría. Complacido, Dios le prometió riquezas, honores y una larga vida. Habiendo heredado el imperio de su padre, Salomón aseguró su posición con varias inteligentes alianzas, incluido su matrimonio con una de las hijas del faraón de Egipto. Al contrario que en época de David, el reinado de Salomón fue muy pacífico: el país floreció y comerció mucho.

Salomón comenzó un ambicioso programa constructivo que incluyó el Templo, un magnífico palacio y otros edificios oficiales. Para defender su reino fortificó seis ciudades y creó un ejército permanente y una amplia flota de carros de guerra.

■ Da, pues, a tu siervo un corazón despierto para juzgar a tu pueblo, discerniendo entre el bien y el mal.

1 Reyes 3, 9

La sabiduría de Salomón

Aunque Salomón es conocido por sus grandes edificios, fue su sabiduría, otorgada por Dios, lo que le valió una fama legendaria. La demostró al principio de su reinado cuando dos mujeres llegaron a él afirmando las dos ser la madre de un recién nacido. Para resolver la disputa, Salomón ordenó que el niño fuera cortado en dos y dividido entre ellas. Llorando, una de las mujeres dijo que prefería que se lo quedara su rival antes que verlo muerto. Salomón entonces la reconoció como la madre verdadera y le dio el niño.

Los conocimientos de Salomón alcanzaban el ámbito de la naturaleza y la filosofía y se le atribuyen los Proverbios y el Eclesiastés del Antiguo Testamento. Noticias de su gran sabiduría llegaron a oídos de la reina de Saba, que decidió ir a Jerusalén para ponerlo a prueba personalmente con preguntas difíciles. Le sorprendió con sus respuestas

y, completamente satisfecha, la reina le hizo entrega de costosos presentes en forma de oro, especias y gemas antes de regresar a Saba.

Se dice que Salomón tuvo un defecto a ojos de Dios. Se casó con 700 esposas y tomó 300 concubinas, muchas de ellas extranjeras, y les permitió que siguieran adorando a sus dioses paganos. Por consiguiente, no era completamente devoto al Señor. Enfadado, Dios le avisó de que tras su muerte sus hijos perderían su herencia y el reino se dividiría.

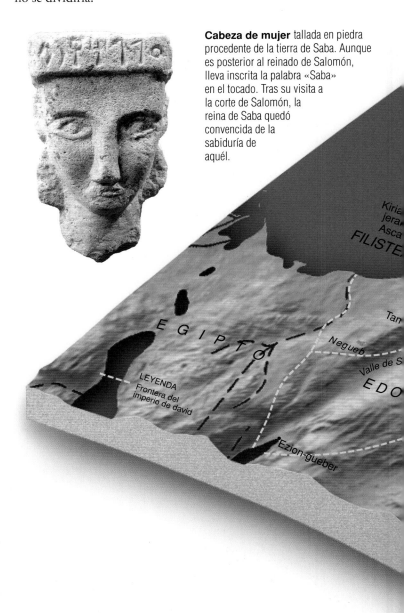

Cabeza de mujer tallada en piedra procedente de la tierra de Saba. Aunque es posterior al reinado de Salomón, lleva inscrita la palabra «Saba» en el tocado. Tras su visita a la corte de Salomón, la reina de Saba quedó convencida de la sabiduría de aquél.

Estas columnas naturales de roca (izquierda) se encuentran en el desierto del Neguev, cerca de unas antiguas minas de cobre en Timnah, y recibieron el nombre de «Columnas de Salomón» en recuerdo de las legendarias «minas del rey Salomón». La extracción de cobre de las minas de Timnah es anterior a Salomón, pero en su época todavía se trabajaba en ellas y puede que formaran parte de los bienes con los que comerciaba por el Mediterráneo.

Megiddo era la pieza central de las reformas militares de Salomón. La ciudad se encuentra situada estratégicamente en la ruta principal que comunica Siria y Egipto y fue allí donde Salomón construyó una «ciudad de carros» para albergar el cuerpo principal de su fuerza de 1.400 carros de guerra. En la ciudad de Megiddo (izquierda) todavía se pueden ver amplios trabajos israelitas, aunque puede que sean posteriores a Salomón y daten del reinado de Ajab.

Gran Mar (Mediterráneo)

Arvad

Hamath

Tiphsah

Éufrates

ARAM
(SIRIA)

Sidón

Kadesh

Tadmor

Tiro

ARAM-ZOBAH

Megiddo

Hatzor

Damasco

Beth-shean

Mar de
Galilea

ARAM-DAMASCO

Joppa

Beth-horón
de abajo

Siquem

Jordán

Helam

Baalath

Gezer

Gat

Gibeón

Jabbok

Mahanaim

Timnat

Jericó

Jerusalén

Hebrón

Rabbah

Beersheba

Madaba

AMMÓN

Mar Salado
(Mar Muerto)

MOAB

0
0
25
60
50
120 Kilómetros
75 Millas

N

La tierra de David y Salomón

El Reino de Israel alcanzó la cima de su poder en torno al 1000-930 a.C. La Biblia nos cuenta cómo David unificó Judá e Israel y luego amplió su influencia por el norte hasta Siria, por el este más allá del Jordán y por el sur hasta el mar Rojo. Los estados vasallos en las fronteras del reino mantuvieron alguna independencia, pero tuvieron que pagarles tributo a David y luego a Salomón.

Ezion-gueber

La legendaria riqueza de Salomón se basaba en el comercio. Con la ayuda de los artesanos fenicios proporcionados por su aliado, Hiram I de Tiro, construyó una flota mercante en un lugar llamado Ezion-gueber. Los barcos navegaron por el mar rojo hasta Ofir y regresaron con oro y plata, maderas raras, incienso, joyas y marfil y, para diversión del rey, monos. Las excavaciones de Tell el-Kheleifeh han encontrado un fuerte muy bien defendido con edificios administrativos que pueden ser los restos de Ezion-gueber. Las zonas marcadas en negro en el mapa (derecha) han sido identificadas como partes del fuerte, aunque una datación reciente sugiere que son demasiado modernas como para ser los edificios de Salomón. Esas estructuras fueron incorporadas posteriormente a un fuerte mucho mayor, señalado en gris.

Edificio antiguo

Patio exterior

Edificio posterior

N

Sello de Shema, un funcionario de la corte de tiempos de Jeroboam II.

Los dos reinos

El largo reinado de Salomón fue pacífico y próspero, pero poco después de su muerte estallaron el descontento y la disensión que durante años habían permanecido ocultos. Los fuertes impuestos y los trabajos obligatorios necesarios para llevar a cabo alguno de los proyectos más grandiosos de Salomón crearon un gran malestar en el país. En el 930 a.C., una asamblea de tribus de Israel le comunicó a Roboam, el hijo de Salomón, que no le apoyaría como nuevo rey a menos que aligerara las cargas impuestas por su padre. Roboam desestimó su exigencia, de modo que las tribus del norte se volvieron hacia Jeroboam, un antiguo servidor de Salomón, para que las dirigiera.

La consecuencia fue que el reino se dividió en dos: Israel en el norte, dirigido por Jeroboam, y Judá en el sur, dirigido por Roboam, que mantuvieron una paz tensa con esporádicos enfrentamientos fronterizos. Con la división llegó la debilidad: Judá fue casi inmediatamente saqueada por el faraón egipcio Shishaq (o Sheshonq) I.

> ■ Luego dijo a Jeroboam: «He aquí que desgarro el reino de la mano de Salomón y te daré diez tribus».
>
> 1 Reyes 11, 31

A lo que siguieron después ataques de los arameos de Damasco, mientras que en el sur los filisteos y al este del Jordán los moabitas y ammonitas recuperaron su independencia.

Declive y recuperación de Israel y Judá

A mediados del siglo XI a.C., Asiria comenzó a asentar su poder. Durante 50 años sus ejércitos estuvieron haciendo incursiones contra Israel. Sus ataques despejaron el camino para que el rey de Damasco, Hazael, se apoderara de toda la zona de Transjordania, tan al sur como Moab, reduciendo a Israel a la categoría de estado títere. Es la época del profeta Elías, que vivió en el reino del norte, realizando milagros y actuando como consejero de los dirigentes de Israel.

A comienzos del siglo VIII a.C., el equilibrio del poder cambió de nuevo cuando el rey de Asiria aplastó Damasco y le impuso un fuerte tributo. Israel también fue obligada a pagar, pero se libró del ataque. Entonces el rey Joas comenzó a tener éxito contra los asirios. Sus victorias fueron aprovechadas por su hijo Jeroboam II, que amplió las fronteras de Israel tanto como durante el reinado de David.

Durante esa época, a Judá le fue un poco mejor que a Israel. Había sufrido económicamente con la pérdida de las tierras fértiles de Israel y se vio debilitada por los conflictos con sus vecinos. Sus habitantes se volvieron hacia el paganismo y sólo cuando el rey Osías (783-742 a.C.) reavivó la adoración de Dios regresó la buena fortuna a Judá.

Este relieve de Karnak (Tebas), en el sur de Egipto, conmemora el saqueo de Judá por parte del rey Shishaq I, aproximadamente en el 924 a.C. La Biblia dice que Shishaq le robó al templo todos sus tesoros y el relieve menciona 150 ciudades tomadas durante el ataque. Reboam fue incapaz de ofrecer resistencia, pero al final el descontento en Egipto obligó a los invasores a retirarse.

El reino dividido
Ni David ni Salomón fueron capaces de acabar con las viejas rencillas entre las tribus del norte y las del sur. Aproximadamente en el 930 a.C., tras la muerte de Salomón, la situación llegó a su clímax al separarse el reino septentrional de Israel del reino meridional de Judá. Jeroboam de Israel situó su capital en Siquem, mientras que Judá, gobernado por Reboam permaneció en Jerusalén. La frontera entre los dos reinos fue objeto de constantes escaramuzas.

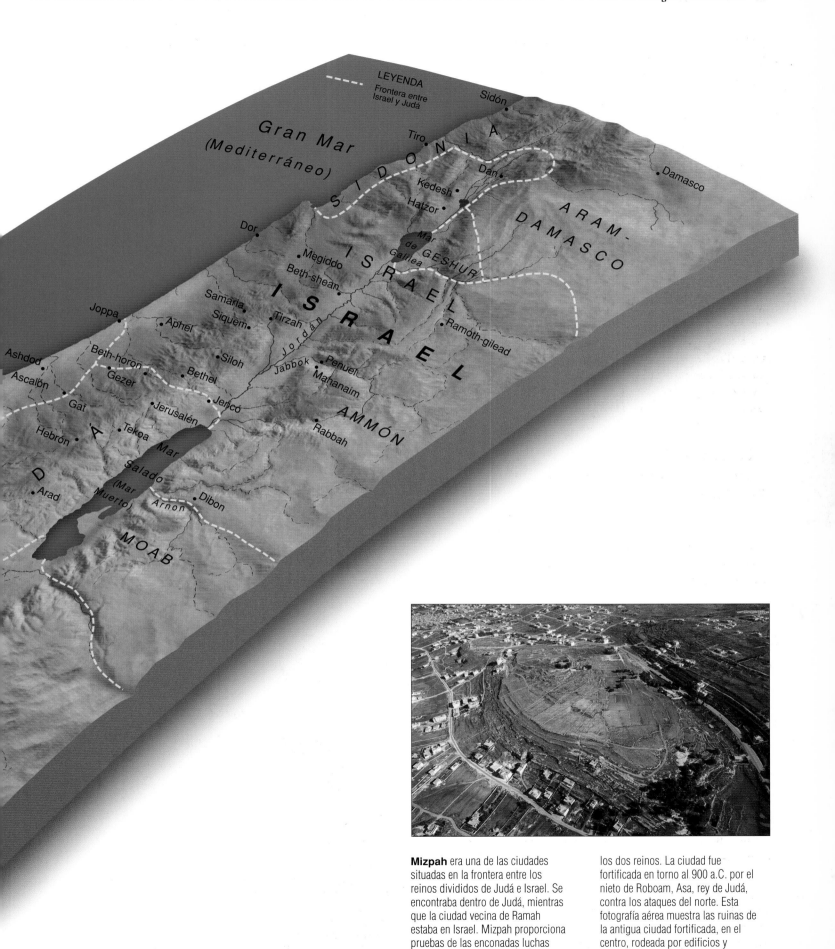

LEYENDA
----- Frontera entre
Israel y Judá

Gran Mar
(Mediterráneo)

Sidón

Tiro

S I D O N I A

Kedesh

Dan

Damasco

Hatzor

A R A M -
D A M A S C O

Dor

Mar
de GESHUR
Galilea

I S R A E L

Megiddo

Beth-shean

I S R A E L

Samaria

Siquem

Tirzah

Joppa

Aphel

Jordán

Ramoth-gilead

Ashdod

Beth-horon

Siloh

Bethel

Jabbok

Penuel

Ascalón

Gezer

Mahanaim

Gat

Jericó

A M M Ó N

Jerusalén

Hebrón

Tekoa

Mar
Salado

Rabbah

J
U
D
Á

Arad

(Mar
Muerto)

Arnon

Dibon

M O A B

Mizpah era una de las ciudades situadas en la frontera entre los reinos divididos de Judá e Israel. Se encontraba dentro de Judá, mientras que la ciudad vecina de Ramah estaba en Israel. Mizpah proporciona pruebas de las enconadas luchas internas que separaron todavía más a los dos reinos. La ciudad fue fortificada en torno al 900 a.C. por el nieto de Roboam, Asa, rey de Judá, contra los ataques del norte. Esta fotografía aérea muestra las ruinas de la antigua ciudad fortificada, en el centro, rodeada por edificios y carreteras modernas.

El profeta Elías

Tras la muerte de Salomón y la subsiguiente división del reino en dos, Israel al norte y Judá al sur, se rompió la relación de Israel con Jerusalén. Como resultado de ello resurgieron los cultos paganos del Canaán entre las gentes del norte. Por ejemplo, Jezabel, la esposa de Ajab, rey de Israel (873-853 a.C.), fomentó el culto a Baal y en Samaria, la nueva capital del norte, se construyó un templo para este dios.

El principal oponente de Ajab era el profeta Elías, un hombre con aspecto de loco procedente de Tishbe, en Gilead. Elías le previno de una prolongada sequía, pero Ajab no le hizo caso. Con la ayuda de Dios Elías sobrevivió a la sequía, siendo alimentados por cuervos y luego cuidado por una viuda pobre a la que milagrosamente Dios mantuvo abastecida de harina y aceite.

Tras los tres años de sequía, Elías desafió a los sacerdotes de Baal a una prueba en el monte Carmelo para que demostraran el poder de su dios: cada uno de los bandos prepararía un sacrificio y el dios verdadero enviaría el fuego para quemarlo. Los sacerdotes de Baal bailaron y llamaron a su dios, pero sin resultados. Entonces Elías oró al señor y en un instante el fuego consumió su ofrenda. El pueblo se aterrorizó y por orden de Elías asesinó a los sacerdotes de Baal, lo que enfureció a Jezabel. Muy poco después empezó a caer una fuerte lluvia.

Temiendo el enfado de Jezabel, Elías huyó hacia el sur, al monte Horeb –en la actualidad Sinaí–. Allí Dios le habló con un agradable susurro diciéndole que regresara y ungiera al nuevo rey, Jehú, junto a Eliseo, que sería su sucesor como profeta. Tras la muerte de Ajab en una batalla, Jehú acabó asumiendo el poder y erradicó sistemáticamente a los seguidores de Baal. La propia Jezabel fue arrojada por una ventana y su cuerpo fue pisoteado por caballos y comido por los perros. El profeta Elías no murió. Estaba hablando un día con Eliseo cuando un carro ardiente se lo llevó al cielo. Según la tradición judía, se espera que regrese como precursor del Mesías. El Nuevo Testamento considera a Juan el Bautista la reencarnación de Elías.

Arriba: Pintura bizantina de Elías siendo llevado al cielo.
Fondo: El monte Horeb, en el desierto del Sinaí.
Mapa: Extensión del reino de Ajab y Jezabel.

1. Monte Carmelo.
2. Pintura de una sinagoga que representa a los sacerdotes de Baal en el monte Carmelo.
3. Friso de bronce de la victoria asiria sobre el rey Jehú.
4. Talla en marfil de época de Ajab.

La invasión asiria

Esfinge de marfil del siglo VIII a.C. procedente de Asiria.

Amediados del siglo VIII a.C. Israel y Judá habían recuperado la mayor parte del territorio perdido desde la época del Imperio de Salomón. Eso significaba que de nuevo los dos reinos controlaban las lucrativas rutas comerciales y su prosperidad aumentó consecuentemente. Sin embargo, a ojos del profeta Amós, esa prosperidad trajo nuevos peligros.

Amós era un pastor del reino meridional de Judá. Dios le dijo que fuera al norte, a Israel, y que profetizara en el santuario real de Bethel. Allí Amós atacó la inmoralidad y el lujo que estaban socavando el carácter nacional de Israel. Denunció el modo en que los ricos oprimían a los pobres y avisó contra una inminente catástrofe.

El declive de Israel

Las palabras de Amós fueron una advertencia del inminente declive de Israel y su asimilación por parte del Imperio asirio, una potencia mesopotámica que crecía rápidamente en el noreste. Los problemas de

■ Convertiré a Samaria en ruina de campo, en plantaciones de viñedo [...] Y todos sus ídolos serán destruidos.

Miqueas 18, 6-7

Israel comenzaron después de a muerte del rey Jeroboam en torno al 748 a.C. Le siguió una rápida sucesión de reyes débiles que dejaron al país poco preparado para enfrentarse al creciente poder de Asiria, gobernada por su nuevo y ambicioso soberano, Tiglatpileser III.

Al principio Israel buscó la paz con los asirios, pero en el 735 a.C. el rey israelita Pecah decidió cambiar de táctica. Intentó crear alianzas con los estados vecinos, Judá incluido, para enfrentarse a

Tiglatpileser. El rey Ajaz de Judá, sin embargo, se negó a unirse a la alianza, de modo que el rey Pecah comenzó una campaña contra él. La respuesta de Ajaz fue recurrir a la ayuda de Tiglatpileser.

Era la excusa que necesitaba, los asirios invadieron primero Siria y luego Israel. Destruyeron Damasco en el 732 a.C. y saquearon las ciudades de Megiddo y Hatzor. En Israel sólo se libró la región de Samaria, cuando el nuevo rey del país, Oseas –que había asesinado a Pecah para apoderarse del trono– decidió comprar la retirada de los asirios con un generoso tributo.

Sargón II, rey de Asiria desde el 722 al 705 a.C., en un bajorrelieve de su palacio Dur-sharukkin en Jorsabad, Iraq. Está hablando con un alto dignatario (la figura de la derecha), posiblemente el príncipe heredero Senaquerib. Los detalles bíblicos sobre la campaña de Sargón en Samaria y el número de israelitas capturados los confirma una inscripción asiria de la época.

Soldados de infantería asirios de época de Tiglatpileser III y Sargón II, tal cual aparecen en un bajorrelieve del norte de Siria. Estas tropas ligeras estaban equipadas con arcos, pero no con armadura. Durante este período, los asirios eran conocidos por su ferocidad y crueldad en el combate.

La expansión asiria

A finales del siglo VIII la actitud del poderoso reino asirio respecto a los estados fronterizos llevó finalmente a la creación de lo que se ha llamado el Imperio neoasirio. Durante el gobierno del rey Tiglatpileser III y sus sucesores, los asirios comenzaron a conquistar y anexionarse a los reinos vecinos, más que a limitarse a exigirles tributo. En el 732 a.C. Siria y el Reino de Israel fueron invadidos. Samaria, la única parte de Israel que inicialmente se libró del ataque, fue conquistada finalmente por Sargón II en el 722 a.C. Éste deportó a grandes cantidades de israelitas a Mesopotamia y llevó a inmigrantes de otras regiones del Imperio asirio a asentarse en Israel.

Gran Mar (Mediterráneo)

Nilo

EGIPTO

Mar Rojo

Tiro
Megiddo
Samaria
Ashdod
Gaza
Jerusalén
JUDÁ
Tekoa
Mar Salado (Mar Muerto)
Ezión-gueber
EDOM
ISRAEL

La destrucción de Israel

El respiro de Israel fue corto. Tras la muerte de Tiglatpileser III en el 727 a.C., Oseas recurrió sin éxito a Egipto en busca de ayuda. Cuando el hijo y sucesor de Tiglatpileser, Salmanasar V, descubrió la traición de Oseas, lanzó un ataque contra Israel. Oseas fue encarcelado y Samaria fue ocupada. La ciudad de Samaria cayó a finales del 722 a.C., probablemente ante el hermano de Salmanasar, Sargón II. Muchos ciudadanos israelitas fueron deportados a Mesopotamia –unos 27.290 según fuentes asirias que se conservan– y gente de Babilonia y otros lugares del Imperio asirio fueron llevadas para que se asentaran en Samaria y otras ciudades del norte. Como resultado de ello, muchos habitantes del antiguo reino de Israel eran paganos y no poseían ascendencia israelita.

Según el libro de los Reyes, el desastre era claramente consecuencia de la desobediencia y falta de fe de Israel. La destrucción del Reino de Israel por parte de Asiria era el modo en que Dios mostraba su enfado a su pueblo.

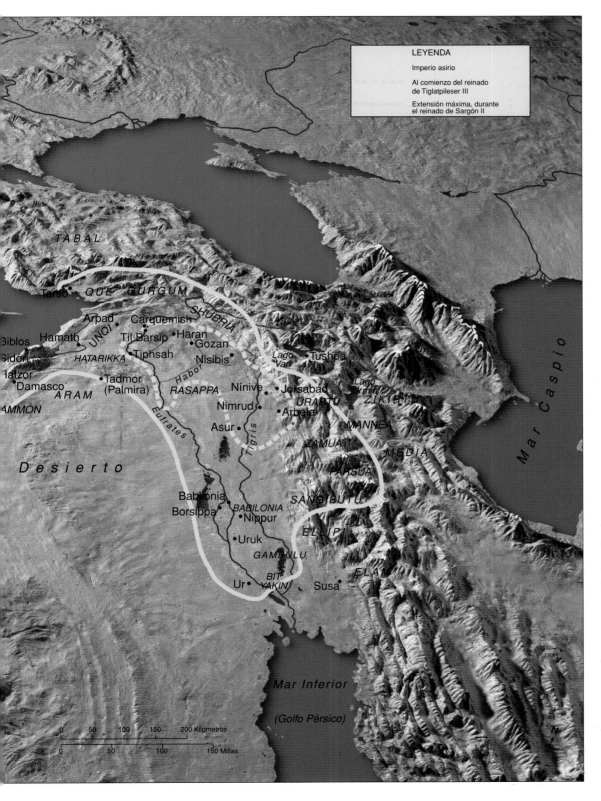

Tributo para el rey, tal cual aparece en los relieves de un obelisco del tipo que habría sido expuesto en lugares públicos de todo el Imperio asirio. Aunque las escenas que se ven aquí son anteriores a la campaña final asiria contra Samaria, la escena de la entrega del tributo procedente de los estados conquistados muestra con claridad el resultado esperado de la política de Tiglatpileser III y sus sucesores. La conquista final de Israel por parte Sargón II le proporcionó a los reyes asirios un inmenso botín en forma de tesoros y cautivos.

Un profeta con un rollo
de la Torá.

Ezequías

La gradual subyugación del reino septentrional de Israel por parte de los asirios fue vista con creciente alarma por parte de Judá. El profeta Miqueas avisó de que la destrucción que había visitado Israel era inevitable que se extendiera hacia el sur, hacia Judá y, finalmente, hasta la propia ciudad sagrada de Jerusalén.

Durante el reinado del rey Ajaz (735-715 a.C.), Judá se convirtió en un estado vasallo de los asirios y, como tal le fue exigido que pagara un tributo; Ajaz también fue obligado a levantar un altar a los dioses asirios en el Templo de Jerusalén. El profeta Isaías atacó el sacrilegio y avisó a la gente de los peligros de esa falta de fe. El sucesor de Ajaz, Ezequías (715-687 a.C.), tomó nota de los avisos del profeta. Introdujo muchas reformas que pretendían restaurar la pureza de la religión judía; pero también pretendió liberar a Judá del yugo asirio.

En el 705, el poderoso soberano asirio Sargón II murió y fue sucedido por su hijo Senaquerib, que de inmediato se encontró ante una importante rebelión en Babilonia, al este del Imperio. Ezequías aprovechó la oportunidad y mientras Senaquerib estaba distraído dejó de pagar el tributo. Con el apoyo de Egipto y de los rebeldes babilonios, formó una gran coalición de reyes locales preparada para enfrentarse al gobierno asirio.

Ezequías se prepara para la guerra

Ezequías llevó a cabo un extenso programa de preparativos militares, aprovechando los beneficios del comercio que había comenzado con Egipto y Oriente Medio. Volvió a fortificar las más importantes ciudadelas de su reino y volvió a llenar los arsenales con armas nuevas. Algunas fortalezas filisteas se negaron a unirse a la coalición de Ezequías, por lo que envió tropas de Judá para ocuparlas, mientras él y sus aliados depusieron sistemáticamente de sus cargos a los soberanos proasirios de la región.

Estos arqueros asirios que marchan bajo las palmeras en un desfile (izquierda) eran miembros de una unidad de elite. Llevan armadura y los característicos cascos puntiagudos asirios. Los arqueros se contaban entre los soldados más numerosos e importantes del ejército asirio.

■ Ezequías puso su confianza en Dios [...] y se rebeló contra el rey de Asiria y no le sirvió.

2 Reyes 18, 5-7

Un arquero asirio montado sobre un caballo al galope se prepara para disparar una flecha. Este bajorrelieve representa de hecho al rey asirio Asurbanipal cazando, pero el soberano está equipado igual que si se dirigiera a una guerra. La imagen ilustra la velocidad y el poder de la fuerza militar de la que disponían los asirios.

En Jerusalén, Ezequías reforzó los muros de la ciudad y llevo a cabo el proyecto por el que más se lo recuerda: la construcción de un túnel –conocido desde entonces como el «Túnel de Ezequías»– destinado a asegurar el aporte de agua a la ciudad en caso de asedio.

El propio Ezequías se puso enfermo durante los preparativos, pero el profeta Isaías le aseguró que se repondría y viviría durante otros 15 años. Todo estaba listo para que Judá se enfrentara a Asiria. Finalmente, en el 701 a.C. Senaquerib atacó. Una furiosa campaña asiria en Fenicia, la parte septentrional de las tierras filisteas, hizo que muchos de los miembros de la coalición rebelde pidieran la paz. Pero Judá y las ciudades fenicias de Ascalón y Ekron se mantuvieron en sus trece. Senaquerib se apoderó de las dos fortalezas y ejecutó o deportó a sus habitantes. Luego avanzó hacia la fortaleza de Laquish, en Judá.

La traída de aguas de Jerusalén

Este plano de Jerusalén muestra cómo se llevaba agua a la ciudad desde la fuente del Gihon, que se encontraba fuera de las murallas, mediante el túnel de Ezequías, conduciéndola hasta la Piscina de Siloé, un depósito dentro de la ciudad. Anteriormente, la Piscina de Siloé también se encontraba fuera de los muros de la ciudad, pero quedó dentro tras una ampliación de su muralla hecha por Ezequías. El canal original que la alimentaba, el canal de Siloé, también se encontraba fuera de la ciudad y por lo tanto era vulnerable a los ataques. El túnel de Ezequías solventó el problema trayendo agua directamente bajo los muros de la ciudad desde la fuente hasta la piscina de Siloé, asegurando así un suministro seguro en caso de asedio.

Muros de la ciudad, ampliados en el siglo VIII a.C.

Monte del Templo

N

Túnel de Ezequías

Fuente de Gihon

Muros de la ciudad antes de la ampliación del siglo VIII

Canal de Siloé

Piscina de Siloé

Inscripción en una roca encontrada cerca del final del túnel de Ezequías y de la piscina de Siloé. Describe la construcción del túnel en tiempos de aquél y menciona el encuentro de los dos equipos de mineros que trabajaban desde extremos opuestos.

Entrada norte al pozo de Ezequías, todavía visible en la actualidad. El revirado túnel, que corre paralelo tanto a la muralla de la ciudad como al canal de Siloé durante gran parte de su longitud, sigue un estrato natural de roca blanda situado bajo la ciudad. Esto hizo que fuera relativamente fácil de excavar y puede explicar su sinuosa ruta, pues los mineros siguieron el camino que les ofrecía menos resistencia.

El suministro de agua de Jerusalén

El dibujo de abajo muestra los diferentes túneles y pozos excavados a lo largo de los siglos para acceder al principal suministro de agua de Jerusalén –la fuente de Gihon–, situada fuera de los muros de la ciudad. En un principio el agua era extraída desde un pozo conocido actualmente como el

pozo Warren, por el nombre del arqueólogo que lo descubrió. Un túnel con escalones conducía al pozo, en cuyo fondo había un estanque alimentado por la fuente. En tiempos de Ezequías el pozo estaba cegado, de modo que excavó un nuevo túnel para llevar agua a la ciudad, hasta el depósito de Siloé. El dibujo también muestra un acceso medieval a la fuente.

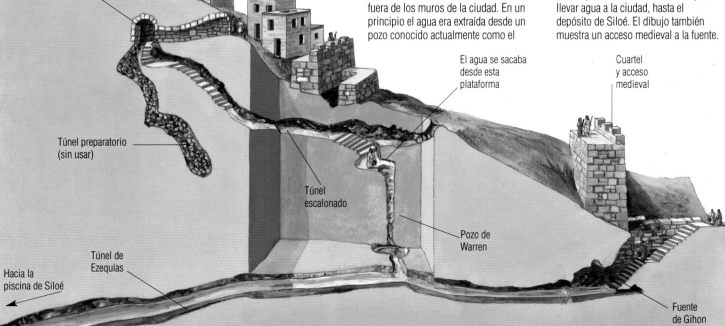

Habitación abovedada

Túnel preparatorio (sin usar)

El agua se sacaba desde esta plataforma

Cuartel y acceso medieval

Túnel escalonado

Pozo de Warren

Túnel de Ezequías

Hacia la piscina de Siloé

Fuente de Gihon

La batalla de Laquish

Conjunto de amuletos del siglo VIII, Laquish.

En el 701 a.C. el reino de Judá sintió toda la fuerza del ejército asirio invasor del rey Senaquerib. Los asirios ya había arrasado Fenicia y conquistado las ciudades filisteas de Ascalón y Ekron, por entonces aliadas de Judá. Ahora Senaquerib se volvía hacia la propia Judá. Tras las victorias de Azekah y Gat, llegó hasta Laquish. Bien fortificada y con gruesos muros internos y externos y puertas muy bien defendidas, la ciudadela de Laquish se consideraba como una fortaleza clave. Estaba construida sobre un monte muy empinado y estaba formada por dos zonas principales: el sector real, que contenía una residencia de altos muros y donde se encontraba el gran palacio-fuerte, y los alrededores, donde se encontraba la ciudad propiamente dicha.

Un gran relieve del palacio de Senaquerib en Nínive contiene una imagen dramática del asedio de Laquish. Su detalle e inmediatez sugieren que se basó en dibujos contemporáneos. En él los defensores disparan flechas y lanzan piedras y antorchas encendidas desde las torres del muro exterior. Los asirios utilizan máquinas de asedio con arietes para romper los muros. Están manejados por tres personas que lo guían y protegen. El relieve muestra a prisioneros siendo conducidos fuera y los cuerpos de otros empalados.

A pesar de las poderosas defensas de la ciudad y la determinación de sus defensores, los asirios consiguieron penetrar en Laquish. Muchos de sus habitantes fueron asesinados, pero la mayoría fueron tomados prisioneros antes de que los asirios arrasaran por completo la ciudad.

■ No temáis ni sintáis pavor ante el rey de Asiria y de toda la muchedumbre que le acompaña, pues con nosotros hay uno mayor que con él.

2 Crónicas 32, 7

La salvación de Jerusalén

Animados por esa decisiva victoria, Senaquerib envió una unidad de sus hombres desde Laquish hacia Jerusalén. Mientras los asirios avanzaban hacia la capital, el rey de Judá, Ezequías, intentó conseguir la paz. Senaquerib exigió un tributo enorme que los habitantes de Judá sólo podían reunir cogiendo el oro del Templo. Para reforzar sus demandas, el comandante de Senaquerib, Rabshakeh, llevó su gran ejército hasta las murallas de Jerusalén y exigió su rendición. La situación era desesperada. Según la Biblia, Ezequías se rasgó las vestiduras, se vistió de arpillera y fue al Templo para rogarle a Dios para que salvara la ciudad.

Esa noche, dice la Biblia, un ángel del Señor mató a miles de soldados asirios. La respuesta de Senaquerib fue aceptar el tributo y reducir el territorio de Judá, pero salvando Jerusalén. Retiró a su ejército y se marchó a Asiria, donde poco después fue asesinado por sus propios hijos. En cambio, Ezequías, salvador de Jerusalén, reinó pacíficamente en su reducido reino durante otros 15 años.

El asedio de Jerusalén tal cual aparece en los relieves de Laquish, descubiertos el siglo XIX en los restos del palacio de Senaquerib en Nínive. La vista general de parte de la segunda y tercera losas (arriba) muestra las máquinas de asedio asirias apoyadas por arqueros y lanceros avanzando por la rampa de asedio contra los muros. Piedras, teas y otros proyectiles (incluida parte de una escala de asalto) caen sobre los asaltantes. Un miembro del grupo que maneja el ariete en el centro arroja agua sobre él para impedir que se incendie con las antorchas de los defensores. Muchos de los detalles mostrados en los relieves se han visto confirmados por los estudios arqueológicos en la propia Laquish.

Muro exterior
Muro interior
Palacio-fortaleza amurallado
Palacio
Puerta
N
Gran pozo (cantera)
Rampa de asedio asiria
Contrarrampa construida por los defensores

Laquish asediada
La ciudad (izquierda) fue construida sobre una colina con mucha pendiente y sólo podía accederse a ella por la parte suroeste, cerca de la puerta principal; de modo que fue allí donde los asaltantes construyeron una rampa para que sus máquinas de asedio pudieran llegar a la muralla. Utilizando piedras y cascotes sacados de la cantera conocida en la actualidad como «Gran Pozo», los defensores construyeron su propia contrarrampa para reforzar el muro interno y permitir que tantos hombres como fuera posible dispararan flechas y proyectiles contra la fuerzas atacantes.

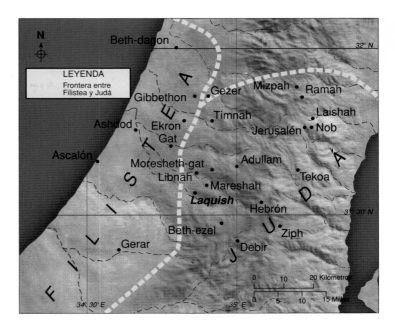

El prisma de Senaquerib (arriba), hecho de barro cocido, describe en la escritura cuneiforme asiria los anales del rey, incluida su tercera campaña en Judá en el 701 a.C. que llevó al asedio y saqueo de Laquish.

La ciudad de Laquish

Esta reconstrucción representa a Laquish como podría haber sido la víspera del ataque de Senaquerib. En esa época probablemente fuera la

Judá y Filistea en el 701 a.C.

En el siglo VIII, el reino israelita de Judá tenía vecinos peligrosos al norte y el oeste. Jerusalén guardaba la frontera norte, frente al antiguo reino de Israel, ahora ocupado por los asirios, mientras que Laquish era la fortaleza más importante en la frontera con los

segunda ciudad más importante de Judá, tras Jerusalén. El gran complejo de palacio-fortaleza y las dos poderosas entradas, con puertas de madera reforzadas con bronce, indican que la

filisteos. Después de que el ejército asirio de Senquerib conquistara las ciudades filisteas rebeldes a comienzos del 701 a.C., Laquish se encontraba en su camino hacia el rey Ezequías de Judá, que había animado y apoyado la rebelión.

ciudad era un centro de gobierno y una ciudadela militar; pero las congestionadas zonas residenciales demuestran que también era el hogar de muchos ciudadanos normales.

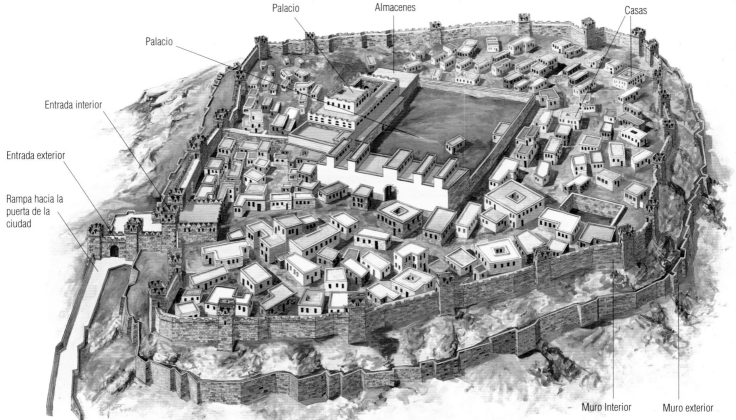

Palacio

Palacio

Almacenes

Casas

Entrada interior

Entrada exterior

Rampa hacia la puerta de la ciudad

Muro Interior

Muro exterior

La caída de Jerusalén

La parábola de Ezequiel sobre la caída de Babilonia.

El siglo que siguió a la muerte del rey Ezequías, ocurrida en el 687 a.C., vio al Reino de Judá cada vez más mezclado en las luchas por el poder de sus vecinos, que eran más poderosos que ella. Asiria se encontraba en la cima de su poder y en el este estaba surgiendo una nueva amenaza: Babilonia. Manasés, el hijo de Ezequías, intentó aliar a Judá con las ciudades fenicias de Tiro y Sidón, pero ofendió a su pueblo promoviendo el culto a los dioses fenicios.

El poder asirio desapareció y durante el reinado de Josías Judá reafirmó temporalmente su independencia (640-609 a.C.); este rey también realizó reformas religiosas, invirtiendo la política de Manasés. Cuando su Gran Sacerdote descubrió el «Libro de la Ley» –que se piensa era una versión del Deuteronomio–, Josías se prometió a sí mismo que seguiría el camino de Dios. No obstante, una profetisa le advirtió que su fe no era suficiente y que tras su muerte Dios pretendía enviar un desastre a la nación. Hacia finales del siglo VII, el equilibrio del poder en la región cambió. En el 612 a.C. los babilonios y los medos, dirigidos por el sobera-

El muro de Ezequías, destruido por el saqueo babilonio de la ciudad. Las mejoradas defensas de Ezequías ayudaron a defender Jerusalén durante el asalto asirio, pero no pudieron resistir el asedio babilonio de un siglo después.

El Imperio babilónico
Según fue declinando el Imperio asirio a finales del siglo VII a.C., su poderoso rival oriental, Babilonia, aumentó su poder. El Reino de Judá se vio en medio de la lucha entre los dos y los intentos de intervención de Egipto. Los babilonios derrotaron a

Puntas de flecha de hierro fechadas en tiempos del asedio de Nabucodonosor a Jerusalén, encontradas al pie de una torre del muro de la ciudad. El arco y las flechas eran la principal arma arrojadiza de ambos ejércitos.

los asirios y crearon un vasto nuevo imperio. Invadieron Judá dos veces y se anexionaron el reino israelita. Tras el saqueo de Jerusalén en el 586 a.C., se llevaron a los ciudadanos más importantes al exilio en Babilonia.

LIDIA

TIERRA DE HATTI

Kirshu

Carquemish

Quramati

CHIPRE

Arvad

Kadesh

Hamath

Orontes

Riblah

Sidón

Tiro

SIRIA

N

Gran Mar (Mediterráneo)

Damasco

Dor

Megiddo

Mar de Galilea

SAMARIA

Jordán

Gezer

Mizpah

Ascalón

Ekron

Jerusalén

AMMÓN

Gaza

Laquish

JUDÁ

Mar Salado (Mar Muerto)

EDOM

Menfis

EGIPTO

Nilo

SINAÍ

Mar Rojo

LEYENDA
Extensión del Imperio babilónico
Camino hacia el exilio

El castigo de Dios a Israel; una pintura del siglo III (izquierda) de la visión de Ezequiel, procedente de Dura Europos, Siria. Deportado a Babilonia tras la derrota de Judá, el profeta Ezequiel imaginó la destrucción final de Jerusalén, en el 586 a. C.

Parte de una carta escrita en hebreo en un fragmento de cerámica (derecha) encontrada en Laquish. Narra el asedio de Nabucodonosor a la ciudad durante la lucha de Judá contra los babilonios en el 589 a.C.

no babilonio Nabucodonosor, capturaron y destruyeron la capital asiria, Nínive. El faraón egipcio Necao II envió ayuda a los asirios. Josías se le interpuso, pero murió en la batalla de Megiddo.

Necao exigió un fuerte tributo a Judá y sentó a Joaquim en el trono como soberano títere. En el 605 a.C. los babilonios derrotaron a los egipcios y en el 598 a.C. invadieron Judá. El año siguiente, el 16 de marzo, Jerusalén se rindió, como había previsto el profeta Jeremías. Los ciudadanos principales fueron tomados prisioneros: entre ellos el profeta Ezequiel, que avisó de que Jerusalén pronto estaría destruida. Nabucodonosor nombró a otro rey títere, Zedequías, pero cuando éste se rebeló en el 589 a.C. todo el poder del ejército babilonio cayó de nuevo sobre Judá. Jerusalén estuvo asediada durante un año y sus habitantes se vieron reducidos a la muerte por inanición. Cuando los muros de la ciudad cayeron al fin, en julio del 586 a. C., el templo fue destruido y la ciudad saqueada, arrasada y quemada. Zedequías fue capturado, sus hijos fueron asesinados y a él lo dejaron ciego. Zedequías y todos los habitantes de la ciudad excepto los más pobres fueron conducidos al exilio en Babilonia.

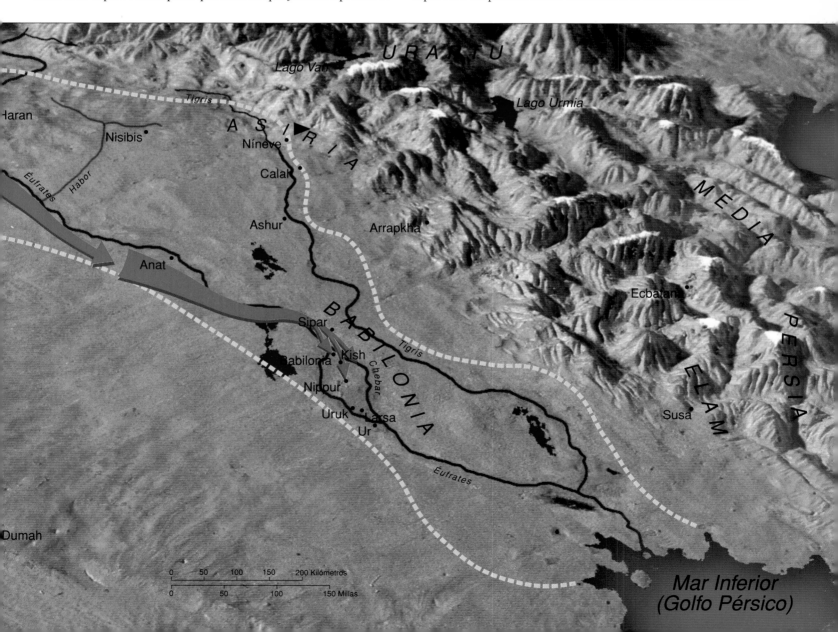

Mar Inferior (Golfo Pérsico)

La caída de Babilonia

Ciro el Grande construyó un vasto imperio combinando poder militar y tolerancia religiosa. Su sencilla y austera tumba se encuentra en Pasargada, cerca de Persépolis, la capital de su sucesor, Darío el Grande.

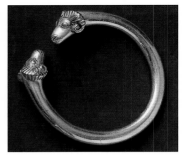

Brazalete de oro macizo con los extremos en forma de cabeza de carnero fabricado por los escitas, que vivían cerca del mar Caspio. Objetos preciosos como este pueden haber sido entregados como tributo al emperador persa.

Friso de ladrillos vidriados de Susa con un guardia armado.

Tras la muerte de Nabucodonosor en el 562 a.C., el poder de Babilonia decayó. Nabónido trasladó la corte a Tema, en el desierto Arábigo, dejando la ciudad en manos del príncipe heredero Bel-shar-usur (Baltasar). Según el libro de Daniel, un acontecimiento sorprendente predijo la caída de Babilonia. Un día, durante un gran banquete, Baltasar vio una mano cortada escribiendo en la pared. Nadie pudo descifrar el mensaje hasta que Daniel, por entonces un joven cortesano judío, fue consultado. Leyó en él las palabras arameas, *mene, mene tekel* y *parsim*, explicando que eran una predicción del final de Baltasar y la inminente caída y división de Babilonia.

En esa época, una nueva potencia estaba naciendo en la región, la dinastía aqueménida persa. Su auge comenzó en el 550 a.C. con la llegada al trono de Ciro el Grande, que aplastó el Imperio de los medas y se apoderó de la riqueza de los lidios.

El mayor logro de Ciro tuvo lugar en el 539 a.C., cuando su ejército derrotó a las fuerzas babilonias, de resultas de lo cual Babilonia se rindió sin ofrecer resistencia. Ciro fue saludado como un conquistador y entró en triunfo en la ciudad. Comenzó de inmediato una política de repatriación, en la que liberó a los exiliados judíos y

> ■ ¡Ha caído, ha caído Babilonia! Y todos los ídolos de sus dioses se han quebrado por tierra.
>
> Isaías 21, 9

otros pueblos sometidos de Babilonia, permitiéndoles que regresaran a sus hogares. Al cabo de un año Ciro había publicado un decreto en el que devolvía los tesoros tomados por Nabucodonosor al templo de Jerusalén. Ciro fue considerado por muchos como un soberano sabio y tolerante; Isaías se refiere a él, incluso, como el ungido de Dios.

El imperio de Ciro fue ampliado por su hijo Cambises, que se apoderó de Egipto en el 525 a.C. Su sucesor, Darío el Grande (521-486 a.C.), fue uno de los más hábiles reyes persas. Darío construyó una magnífica capital, Persépolis, para completar a su capital administrativa, Susa.

El libro de Daniel, escrito unos trescientos años después de esos acontecimientos, menciona una versión ligeramente distinta de la caída de Babilonia, pues dice que la noche en que Daniel interpretó los signos de la pared, Baltasar fue asesinado y una misteriosa figura llamada Darío el Meda se hizo con el reino. Parece que, de hecho, Darío es otro nombre para referirse a Ciro.

El regreso de los exiliados

La historia de la propia Judá durante el período del exilio en Babilonia está poco documentada en la Biblia. Durante algún tiempo parece que la zona fue incorporada a la provincia de Samaria y que hubo luchas y guerras intermitentes. Algunas personas se volvieron

El Imperio persa

El imperio creado cuando Ciro capturó el territorio de los medas a mediados del siglo vi a.C. fue ampliado por él y sus descendientes hasta época de Alejandro Magno. Para mantenerlo unido eran esenciales unas excelentes vías de comunicación. Las fuentes griegas hablan de una «carretera real» desde Susa hasta Sardes, en Asia Menor. La narración de la Biblia sobre el regreso de los primeros exiliados judíos en Babilonia hasta su hogar no es muy clara, pero el mapa de abajo muestra las rutas que es más posible que siguieran.

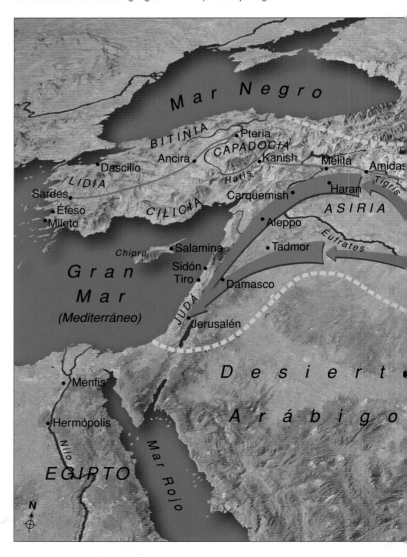

En Persépolis Darío el Grande construyó un palacio y una capital nuevos para el Imperio persa. El edificio más magnífico era la Apadama o Salón de Audiencias (izquierda), en donde los súbditos del rey iban todas las primaveras a presentarle sus tributos. Los muros estaban decorados con frisos formales en relieve como este (arriba derecha), que representa a un león atacando a un toro.

Los muros de Persépolis están ricamente decorados con frisos en bajorrelieve que representan el esplendor y el poder de los emperadores persas. El «Desfile de las naciones», en la Apadana, el principal salón de audiencias de Darío, muestra a las delegaciones de 23 países diferentes llevando regalos que van desde telas a vasos de metal, pasando por oro, defensas de elefantes e incluso animales exóticos como un okapi y un antílope. La figura de la izquierda puede que sea una representación de los fabulosamente ricos lidios del oeste de Aisa Menor.

hacia otros dioses, mientras que otras consideraron que la destrucción de Jerusalén y el exilio de la elite judía eran un castigo de Dios por sus pecados. En general, se trataba de una población alicaída que dio la bienvenida a los exiliados, si bien algunos se sintieron molestos por su regreso. Se desconoce cuántos judíos regresaron entonces, pues muchos estaban bien asentados y eran prósperos en Babilonia y decidieron permanecer allí, proporcionando ayuda financiera a aquellos que regresaban al hogar.

El líder de los judíos que regresaron, Sesbasar, fue reemplazado por Zerobabel y hay fuentes que atribuyen a uno y a otros el sentar las trazas de un nuevo templo, un acontecimiento que encantó al pueblo. Sin embargo, su construcción se vio empañada por importantes privaciones. Hubo constantes enfrentamientos con vecinos hostiles y las cosechas fueron pobres. Hasta la época de Nehemías y Esdras, cerca de cien años después, pocos progresos se hicieron en la reconstrucción de la ciudad de Jerusalén o de sus muros.

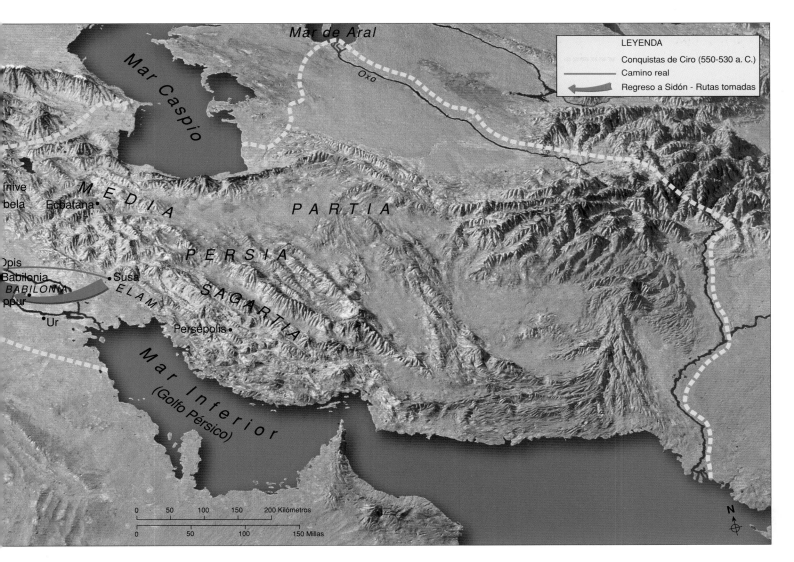

LEYENDA

Conquistas de Ciro (550-530 a. C.)

Camino real

Regreso a Sidón - Rutas tomadas

Mar de Aral

Oxo

Mar Caspio

Mar Inferior (Golfo Pérsico)

íníve
bela · Ecbatana ·

M E D I A

P A R T I A

P E R S I A

Opis
Babilonia
BABILONIA
ppur
· Susa

E L A M

S A G A R T I A

· Ur

Persépolis ·

0   50   100   150   200 Kilómetros

0   50   100   150 Millas

N

Coperos de la corte del rey persa.

El regreso a Jerusalén

La conquista de Babilonia por Ciro el Grande en el 539 a.C. significó que toda Judá quedó bajo control persa, terminando por convertirse en la provincia de Yehud. Ciro envió a muchos de los judíos exiliados en Babilonia de regreso a Judá, una política que continuó en los siglos siguientes con una segunda oleada de exiliados, que tuvo lugar durante el reinado de Artajerjes, uno de los sucesores de Ciro. Sería esta segunda oleada la que llevaría a la verdadera refundación de la nación judía, dirigida por Nehemías y Esdras.

Nehemías, un exiliado judío, era copero en la corte de Artajerjes y el rey le escuchaba. Cuando Nehemías le expresó su preocupación respecto a su madre patria, sobre todo Jerusalén, que continuaba gran parte en ruinas tras el saqueo babilónico, Artajerjes decidió nombrarlo gobernador de Yehud con instrucciones de reconstruir la ciudad. Era el 445 a.C. y Nehemías regresó a Jerusalén con muchos judíos exiliados procedentes de los asentamientos del entorno a Nippur, en Babilonia. Bajo el entusiasta gobierno de Nehemías, la suerte de Jerusalén mejoró y los muros de la ciudad no tardaron en quedar reconstruidos.

Esdras era un sacerdote más que un líder político, pero en el 457 a.C., al igual que Nehemías, también guió a su hogar a un grupo de exiliados judíos por orden de Artajerjes. Si Nehemías fue el res-

> ■ He aquí que yo salvaré a mi pueblo de la tierra de Oriente [...] y los conduciré a que habiten en medio de Jerusalén.
>
> Zacarías 8, 7-8

ponsable de la reconstrucción de Jerusalén, a Esdras le tocó la tarea de revivir el judaísmo. Sorprendido por las relajadas prácticas religiosas que se conservaban en Judá, instituyó una serie de reformas religiosas basadas en las prácticas de los exiliados que regresaban, que habían conservado un código religioso estricto. Los exiliados también se horrorizaron ante el declive del judaísmo en la vecina Samaria, en donde muchos judíos habían adoptado las prácticas paganas.

El resultado de las reformas de Esdras

Las reformas de Esdras aseguraron la supervivencia del judaísmo; de hecho, ha sido llamado el «Padre del judaísmo» o «Un segundo Moisés», porque el desarrollo del judaísmo rabínico se remonta hasta él. Sus reformas llegaron hasta algunas comunidades judías del extranjero, sobre todo la de Elefantina, en Egipto. Esta colonia fue creada en el siglo VI a.C. por judíos que habían huido de la invasión babilónica. En los años transcurridos desde entonces habían pasado a adorar a dos diosas, así como a Dios, pero ahora se volvieron hacia la fe más rigurosa de Esdras. En Babilonia, la comunidad judía restante fue durante muchos siglos un centro de vida y aprendizaje judío.

El cilindro de Ciro, procedente de Babilonia, está fechado en el 536 a.C. Realizado en arcilla, recoge en escritura cuneiforme la captura de la ciudad por parte de Ciro el Grande en el 539 a.C. También habla del decreto real según el cual los ídolos de los dioses tomados de las ciudades de todo el Imperio babilónico deberían ser devueltos a ellas, junto a las personas que los adoraban. Fue este decreto el que condujo a la repatriación de los judíos exiliados en Babilonia, en torno al 538 a.C.

El regreso a Jerusalén

Los judíos de la principal comunidad en el exilio, la de Nipur, regresaron a su tierra natal en dos oleadas: la primera dirigida por Sesbazar y Zerobabel en el 538-515 a.C., y la segunda por Nehemías y Esdras en el 457-428 a.C. La Judá a la que regresaron se había convertido en la provincia persa de Yehud, parte de la satrapía (zona administrativa) conocida como «Más allá del río», es decir, el Éufrates. Incluso tras esta repatriación, en Babilonia quedaron grandes colonias judías y también en Elefantina, Egipto.

La isla de Elefantina

La isla de Elefantina (debajo), en la Primera Catarata del Nilo, en Egipto. Documentos encontrados aquí demuestran que tras la conquista de Judá por los babilonios en el 586 a.C. se instaló en la isla una comunidad judía. Con el paso de los años, la comunidad exiliada adoptó algunas prácticas religiosas egipcias, pero regresó a la verdadera fe judía tras las noticias llegadas hasta ellas de las reformas religiosas de Esdras en Jerusalén.

Check Out Receipt

South Chicago

Monday, May 24, 2021 1:59:32 PM

Item: R0711443268
Title: Vanidades continental. v 61 n 8 (April 2021)
Due: 6/14/2021

Item: R0606982010
Title: People en español. (June 2021)
Due: 6/14/2021

Item: R0711443349
Title: People. v 5119 n 1 (31 May 2021)
Due: 6/14/2021

Item: R0711443195
Title: Vanidades continental. v 61 n 7 (April 2021)
Due: 6/14/2021

Total items: 4

Thank You!

771

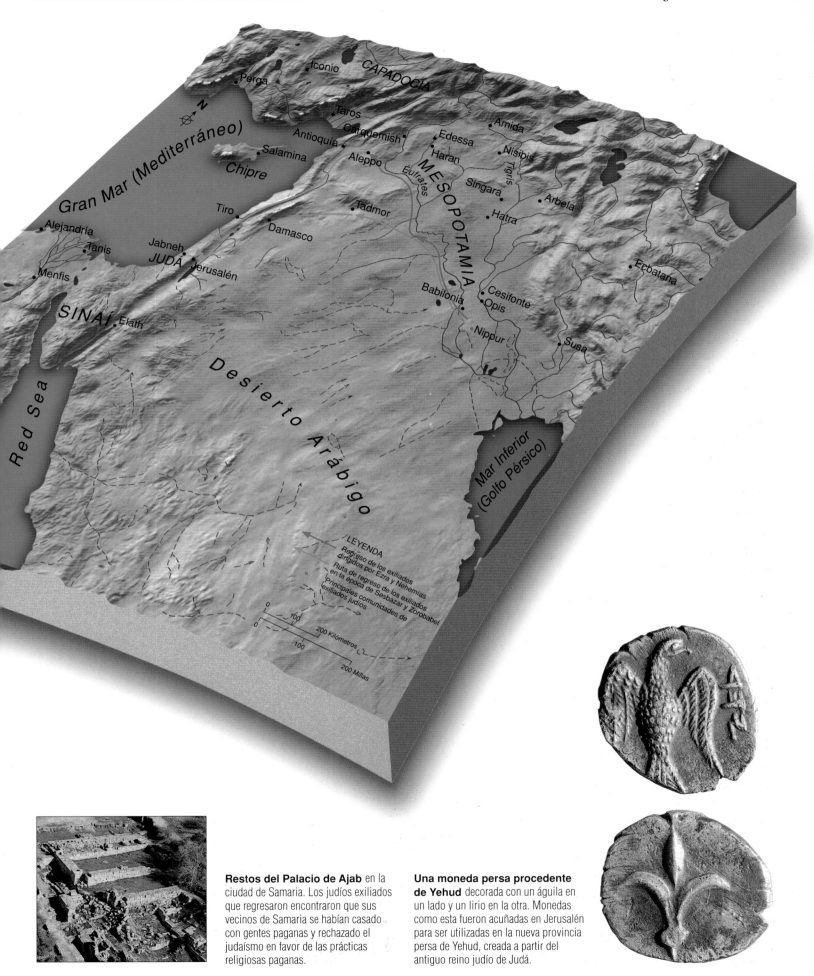

Iconio
CAPADOCIA
Perga
Taros
Amida
Antioquía
Carquemish
Edessa
Nisibis
Haran
Salamina
Aleppo
MESOPOTAMIA
Tigris
Chipre
Éufrates
Singara
Gran Mar (Mediterráneo)
Tadmor
Hatra
Arbela
Tiro
Damasco
Alejandría
Ecbatana
Jabneh
Tanis
JUDÁ
Jerusalén
Babilonia
Cesifonte
Menfis
Opis
SINAÍ
Elath
Nippur
Susa
Red Sea
Desierto Arábigo
Mar Inferior
(Golfo Pérsico)

LEYENDA

Regreso de los exiliados dirigidos por Ezra y Nehemías

Ruta de regreso de los exiliados en la época de Sesbazar y Zorobabel

Principales comunidades de exiliados judíos

0   100   200 Kilómetros

0   100   200 Millas

Restos del Palacio de Ajab en la ciudad de Samaria. Los judíos exiliados que regresaron encontraron que sus vecinos de Samaria se habían casado con gentes paganas y rechazado el judaísmo en favor de las prácticas religiosas paganas.

Una moneda persa procedente de Yehud decorada con un águila en un lado y un lirio en la otra. Monedas como esta fueron acuñadas en Jerusalén para ser utilizadas en la nueva provincia persa de Yehud, creada a partir del antiguo reino judío de Judá.

Una moneda con la efigie de Alejandro.

El imperio de Alejandro

En el 334 a.C., Alejandro, el hijo de Filipo II de Macedonia, pasó de Europa a Anatolia con unos 30.000 soldados y unos 5.000 jinetes. Su intención era destruir el Imperio persa. Tras sus victorias sobre los gobernadores persas de Asia Menor en el río Gránico, y después sobre el emperador persa Darío III, en Issos, Alejandro marchó hacia el sur, hacia Egipto, destruyendo a su paso las ciudades fenicias. Sólo Tiro, que cayó tras un asedio de 17 meses, ofreció alguna resistencia.

Alejandro continuó su marcha por Galilea, Samaria y Ashdod (la antigua tierra filistea), controladas por los persas. La ciudad de Gaza aguantó dos meses y una vez conquistada masacró a sus habitantes como venganza. Finalmente, Alejandro llegó a Egipto, que se rindió sin resistencia. Alejandro fue proclamado faraón y pasó el invierno

del 332-331 a.C. en Egipto, cuando fundó la ciudad de Alejandría. Abandonó el país para dirigirse de nuevo a Tiro. De camino se dice que visitó Jerusalén y se sabe que aplastó sin misericordia una rebelión en Samaria. La ciudad del mismo nombre fue saqueada y sus habitantes asesinados o esclavizados.

En el 331 a.C. cruzó el río Éufrates y llegó al corazón de Persia. Allí derrotó de nuevo a Darío en Gaugamela, tras lo cual el emperador persa fue asesinado por sus propios hijos. Entonces Alejandro se declaró formalmente a sí mismo emperador de Persia. Continuó su campaña yendo hacia el este, cruzando las montañas del Indo

El mosaico de Alejandro se encontró en Pompeya y se piensa que es una copia de una pintura griega del siglo IV a.C. Representa la victoria de Alejandro sobre el rey persa Darío III en una batalla.

En el detalle de abajo a la izquierda Alejandro dirige la carga decisiva de la caballería macedónica, mientras que abajo a la derecha vemos a Darío dispuesto a dar la vuelta a su carro y huir.

Las conquistas de Alejandro

El gran imperio creado por Alejandro fue el mayor que había visto el mundo. Su ejército, formado por tropas macedonias y griegas, aplastó al extenso, pero desunido, Imperio persa en cuatro años. La campaña le llevó desde Asia Menor hasta Egipto y luego hacia el este, hacia Asia Central y el valle del Indo, en la India. Donde quiera que fuera, Alejandro fundaba ciudades de estilo griego con su propio nombre, difundiendo por todo el Imperio la cultura helenística basada en las polis.

Kush hasta llegar al valle del Indo en el norte de la India, en el 326 a.C. Fue allí donde sus tropas se amotinaron, de modo que Alejandro condujo a lo que quedaba de su ejército por el desierto persa hasta Babilonia, donde murió repentinamente en el 323 a.C., a la edad de 32 años.

Los sucesores de Alejandro en Palestina

La muerte de Alejandro vino seguida por una lucha continua durante las siguientes cuatro décadas y que enfrentó a los diferentes rivales que reclamaban su imperio. En Macedonia, Antígono el Tuerto intentó reunificar el imperio, mientras que el general griego Ptolomeo –el hijo del gobernador de Alejandro en Egipto– intentaba crear el suyo propio. Entre el 315 y el 306 a.C., los ejércitos de esos dos personajes guerrearon arriba y abajo por Palestina y Siria. A comienzos del siglo III a.C. Ptolomeo había asegurado la posesión de Egipto y puesto a Palestina bajo su control, administrándola junto a Siria desde Alejandría. Esas zonas también las reclamaba Seléuco, otro de los generales de Alejandro, que controlaba la parte oriental del antiguo imperio.

Durante todo ese período, Judá continuó siendo una teocracia, recayendo la autoridad en la figura del Gran Sacerdote y donde los sacerdotes desempeñaban funciones tanto religiosas como civiles. Fue un período creativo y culto en Judá, en el que se datan el libro del Eclesiastés y el primer Apocalipsis –una narración del fin del mundo– judío. La traducción de las escrituras judías al griego, la Septuaginta (de los Setenta), se dice que fue iniciada por Ptolomeo II

durante esta misma época, pero probablemente fuera realizada en Egipto más que en Palestina. A comienzo del siglo II a.C., los ptolomeos perdieron finalmente Palestina a manos de los seléucidas, representados por Antíoco II (223-187 a.C.). En un principio los judíos apoyaron a Antíoco y recibieron favores legales y religiosos a cambio. Sin embargo, en la década del 170 a.C., la presión seléucida sobre los judíos para que adoptaran la cultura griega estaba llevando disturbios entre los judíos helenizados y los conservadores, así como a un resentimiento de los judíos contra sus amos seléucidas.

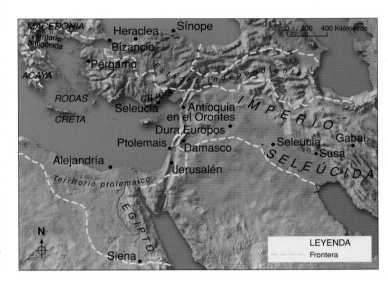

El Imperio seléucida
El Imperio seléucida (arriba) terminó siendo el mayor de los imperios que sucedieron al de Alejandro. En un principio Siria y Palestina fueron gobernadas por los ptolomeos de Egipto, pero en el 201-198 a.C. fueron conquistadas por el seléucida Antíoco III. Continuaron estando bajo gobierno seléucida durante los siguientes 31 años. En ese tiempo, los seléucidas ampliaron su gobierno hasta Asia Menor y Grecia, sólo para ser expulsados por el nuevo poder emergente, Roma.

Un jinete de la caballería macedónica en acción en un detalle del llamado «sarcófago de Alejandro». Fue encontrado en Sidón y ahora se conserva en el Museo Arqueológico de Estambul. Se considera que fue el sarcófago de un noble macedónico desconocido.

Rollo de la Torá del siglo XIX procedente de Iraq.

El mundo judío

E l primer encuentro del judaísmo con la cultura griega o «helenismo» tuvo lugar merced a la diáspora, la dispersión de los judíos que se produjo por los acontecimientos de su turbulenta historia. Los siglos transcurridos entre el exilio de los judíos en Babilonia, en el 597 a.C., y la época de Herodes el Grande, en el siglo I a.C., vieron cómo los judíos se dispersaban por muchos lugares del mundo antiguo. Se calcula que aproximadamente la mitad de los siete millones de judíos existentes vivían fuera de Palestina, sobre todo en Babilonia y Alejandría. A lo largo de los años, esos judíos acabaron adoptando muchos elementos de la civilización helenística, sobre todo la lengua griega, que era la lengua de la cultura y que también se utilizaba mucho en el comercio.

El helenismo en Palestina

Cuando el ejército de Alejandro Magno conquistó Judea en el 332 a.C., la influencia del helenismo sobre los judíos aumentó. Para tener éxito en el mundo que había creado Alejandro había que poseer una educación griega. Muchos judíos aceptaron esta circunstancia felizmente, por ejemplo Filón de Alejandría (c. 20 a.C.–50 d.C.), que combinó las creencias judías con las ideas filosóficas griegas. Los Grandes Sacerdotes judíos también recibieron gustosos a los judíos helenizados en el Templo cuando llegaban a él en peregrinación. Sin embargo, los judíos más conservadores deploraban las costumbres griegas, como el atletismo y los combates, considerando el helenismo como una amenaza para su modo de vida. En parte como resultado de esa mezcla, emergieron en el judaísmo varios grupos religiosos diferentes, los más influyentes de los cuales fueron el de los fariseos y el de los saduceos.

> ■ Los saduceos dicen que no hay resurrección, ni ángeles ni espíritus, mientras que los fariseos admiten todo eso.
>
> Hechos 23, 8

Fariseos y saduceos

Los fariseos reaccionaron contra la influencia helenística insistiendo en la estricta observancia de las leyes rituales judías. Como obedecían meticulosamente las leyes sobre la comida y la pureza, el resultado fue que muchos de ellos se mantuvieron alejados de los no fariseos. A pesar de ello, los fariseos gozaban del apoyo popular de la gente y tenían influencia en el tribunal supremo judío y en el cuerpo legislativo, el Sanedrín.

Los fariseos sentaron las bases del judaísmo rabínico al utilizar la sinagoga como centro para la enseñanza religiosa. Hicieron hincapié en la interpretación oral tradicional de las Sagradas Escrituras, llamada «Torá oral», en la creencia de que se había conservado desde época de Moisés. Los fariseos también popularizaron una nueva percepción

Estos vasos de cerámica griegos están decorados con hombres bebiendo (arriba) y hombres luchando (derecha). La dominante influencia de la cultura helenística significó que algunos judíos adoptaron costumbres griegas. Aunque los jóvenes judíos participaban en actividades griegas, como la lucha, los judíos conservadores desaprobaban que tomaran parte en ellas, pues consideraban que eran la prueba de un modo de vida decadente. La lucha grecorromana, por ejemplo, tenía lugar con los combatientes desnudos. Ese tipo de prácticas se consideraban una amenaza contra la religión y el modo de vida judíos y eran desaconsejadas activamente.

La Palestina helenística

Desde la época de Alejandro Magno, el mundo judío estuvo cada vez más influido por la cultura y la sabiduría griega. Muchos griegos se helenizaron y hablaban griego y adoptaron costumbres griegas. Este mapa muestra el impacto de la influencia griega en Palestina. La difusión de la cultura helenística tuvo lugar mediante la creación de nuevas ciudades con nombres griegos, como Escitópolis y Ptolemais. En el mapa las ciudades griegas aparecen marcadas con puntos rojos.

Mosaico romano procedente de la sinagoga de Beth-shean y que presenta dos importantes símbolos del judaísmo: la menorá y el Templo. A pesar de la influencia del helenismo, tanto en Palestina como en las tierras de la Diáspora, los judíos por lo general se mantuvieron fieles a sus creencias.

de Dios como preocupado por el individuo y no sólo por la nación. El nombre de saduceos se piensa que deriva de Saduk, el Gran Sacerdote en época de Salomón. Aunque sólo había unos centenares de saduceos, ejercían una considerable influencia política y espiritual, al proceder por lo general de familias ricas e incluir en sus filas al Gran Sacerdote, que de hecho era el presidente del Sanedrín. Al contrario que los fariseos, los saduceos sólo aceptaban la autoridad de la «Torá escrita», es decir, los cinco primeros libros de la Biblia y otros escritos escogidos de la sabiduría judía. Del mismo modo, y al contrario también que los fariseos, los saduceos rechazaban la idea de la resurrección, los ángeles y los espíritus.

La oposición al helenismo en Palestina tuvo como consecuencia el fortalecimiento del judaísmo mediante la aparición de estos grupos, que promovían la religión. Sin embargo, el gobierno helenístico también produjo la dispersión voluntaria de los judíos. La red de rutas comerciales que cruzaban el Imperio griego animaron a los mercaderes judíos a abandonar Palestina. Los emigrantes llevaron su religión con ellos, ayudando así a difundir el judaísmo por todo el mundo conocido, lo que a su vez produjo la conversión de gentiles.

La Torá

La palabra Torá significa «enseñanza» y en origen se refería sólo a los primeros cinco libros del Antiguo Testamento, el Pentateuco. Los fariseos, un grupo religioso estricto judío, seguía las enseñanzas de la Torá oral, sobre todo la interpretación tradicional de las Sagradas Escrituras conservada de generación en generación desde la época de Moisés. Aplicaban la Torá a la vida diaria mediante una constante reinterpretación de la misma. Esa es una de las razones por las que se oponían a los saduceos, que ponían el énfasis en la palabra escrita, y seguían al pie de la letra la Torá escrita. Posteriormente, la Torá llegó a incluir los libros de sabiduría y los libros del conocimiento rabínico. Con ellos está formada la Torá actual. Sin embargo, la Torá siempre ha sido más que un grupo de leyes: representa un sistema de vida basada en la Alianza que Dios estableció con su pueblo. Arriba aparece un antiguo manuscrito de la Torá.

Antíoco IV Epífanes representado en una moneda.

Las campañas macabeas

Alejandro Magno murió en el 323 a.C. y sus generales se dividieron el imperio entre ellos. En el Oriente Próximo y Medio, Ptolomeo creó una dinastía en Egipto y Saléuco en Mesopotamia. Al principio, Judea estuvo controlada por Ptolomeo y sus sucesores, pero en el 200 a.C. el rey seléucida Antíoco III se apoderó de la zona. Bajo el gobierno seléucida, la presión sobre los judíos para que adoptaran la cultura helenística aumentó.

Cuando Antíoco IV llegó al trono, en el 175 a.C., lanzó un ataque contra la religión judía, quizá codiciando el tesoro del Templo

■ Que Judas Macabeo, hombre valiente desde su juventud, sea jefe del ejército y haga la guerra contra los pueblos.

1 Macabeo 2, 66

o quizá por pura megalomanía. También reclamó la categoría divina y adoptó el título de Epífanes, que significa «Dios se manifiesta». No obstante, sus enemigos preferían llamarlo Epímanes, «el loco».

En el 169 a.C., Antíoco saqueó el templo y al año siguiente estallaron problemas en Jerusalén. Antíoco envió tropas, que saquearon la ciudad y derribaron sus muros. Los invasores utilizaron el Templo para adorar al dios griego Zeus y altares paganos se construyeron por todo el país. Los judíos fueron obligados a adorar ídolos y tomar parte en sacrificios paganos. Los sacrificios judíos y la observancia del Sabbat se prohibieron.

La rebelión de Modin

Los judíos que se resistieron a esos edictos fueron perseguidos y al final estalló una rebelión, que comenzó en el poblado de Modin. Allí vivían el sacerdote Matatías y sus cinco hijos: Juan, Simón, Judas, Eleazar y Jonathan. Cuando llegaron los funcionarios para obligar a Matatías a realizar los sacrificios paganos de Antíoco, aquél se negó a tomar parte en ellos. Mató a un funcionario seléucida y a un judío que siguió las órdenes de Antíoco, luego destruyó el altar pagano. Haciendo un llamamiento para que se unieran a él todos los judíos verdaderos, huyó a las colinas con sus hijos. Desde allí llevó a cabo una guerra de guerrillas tanto contra los seléucidas como contra los judíos colaboracionistas.

En la batalla de Elasa, 161 a.C., el ejército macabeo fue derrotado por las superiores fuerzas seléucidas y Judas Macabeo resultó muerto. Sus hermanos Jonathan y Simón cogieron su cuerpo y lo depositaron en la tumba de sus antepasados, que según la tradición es esta tumba de piedra de Modin, situada cerca de Lod.

Las campañas macabeas
El mapa de abajo señala las zonas más significativas implicadas en las campañas macabeas contra la dinastía seléucida. En torno al 167 a.C., los judíos se levantaron en armas contra sus gobernantes seléucidas dirigidos por la familia de Matatías. Los rebeldes eran conocidos como los macabeos. La lucha continuó durante 25 años, hasta que las luchas internas de los seléucidas les llevaron a perder Judea.

LEYENDA — Batalla

N

Gran Mar (Mediterráneo)

Tiro · Hatzor · Baskama · Ptolemais · Raphon · Dathema · GALILEA · Arbela · Mar de Galilea · Antioquía (Hipos) · Alema · Dora · Antioquía Seleucia (Gadara) · GALAADITIS · Torre de Estratos · Efron · Arbela · Bostra · Escitópolis · Arbata · TRANSJORDANIA · Bemesilis · Samaria · Jordán · Jabbok · Antioquía del Crisorhoas (Geresa) · Siquem · Akrabatta · Beth-horon de abajo · Beth-horon de arriba · Alejandro · AMMONITIS · Joppa · Lydda Adida · Beerzet · Jazer · Filadelfia · Jamnia · Gofna · Mizpah · Jericó · Modein · Gazara · Kedron · Emmaús · Elasa · Micmash · Cafarsalama · Accaron · Adasa · Jerusalén · PEREA · Azoto · Beth-basi · Beth-zechariah · Beth-basi · Adullam · JUDEA · Bal-meon · MOABITA · Ascalón · Marisa · Tekoa · Beth-zur · Mar Salado · Gaza · Hebrón · PARALIA · IDUME · (Mar Muerto)

0 10 20 Kilómetros
0 5 10 15 Millas

33° N
32° 30' N
32° N
31° 30' N
34° 30' E · 35° E · 36° E

Matatías murió en el 166 a.C., pero su tercer hijo, Judas, conocido como Macabeo –«el martillo»– tomó el mando de las fuerzas de la resistencia y atacó el ejército seléucida con energía. Marchó sobre Jerusalén y reconquistó el Templo, purificado de nuevo por sus seguidores, conocidos ahora como macabeos. Este acontecimiento todavía se celebra con la fiesta de Hanuka.

Entonces, en el 163 a.C., la suerte macabea cambió y Judas fue derrotado por las fuerzas seléucidas en Beth-zechariah. Su hermano Eleazar fue asesinado y Judas tuvo que huir. Los seléucidas restablecieron de nuevo cierto control sobre Jerusalén y, a pesar de las importantes luchas por el poder entre sus dirigentes, consiguieron una gran victoria en la batalla de Elasa, en el 161 a.C., donde murió el propio Judas Macabeo.

A pesar de ese golpe, Jonathan y Simón, los dos últimos hermanos de Judas, continuaron la lucha. A lo largo de los años siguientes se vieron ayudados por las crecientes disensiones internas en el campo seléucida. Esto debilitó significativamente el poder seléucida, obligándolos a hacer más concesiones a los macabeos. Finalmente, en el 142 a.C., al considerar que su posición era indefendible, los seléucidas le concedieron la independencia a Judea.

La rebelión macabea comenzó cuando un funcionario llegó a Modin para asegurarse de que se llevaban a cabo los sacrificios paganos ordenados por Antíoco IV. En la imagen de la derecha, procedente de un manuscrito del Libro de los Macabeos realizado en el siglo X d.C. por los monjes de san Gallen, en Suiza, Matatías alza su espada para matar a la persona que se disponía a sacrificar lo que parece un cerdo –un animal considerado impuro por los judíos– en el altar pagano. En la parte superior de la imagen Matatías mata a uno de los funcionarios del rey.

Este fragmento de un vaso griego muestra una ceremonia pagana en la que una procesión lleva un toro sacrificial al altar. Los judíos, que eran monoteístas, estuvieron expuestos a la religión pagana de las culturas que los rodeaban ya desde época de Abraham. Durante el siglo II a.C., el soberano seléucida Antíoco IV intentó unificar su imperio difundiendo la civilización griega. Los judíos fueron obligados a tomar parte en ceremonias paganas y se les prohibió practicar su propia religión. La negativa del pueblo judío a seguir los edictos de Antíoco IV acabó en rebelión.

El ejército seléucida utilizó en Beth-zechariah elefantes de guerra indios –como el de esta estatuilla de terracota del siglo III a.C. procedente de Myrina, Asia Menor occidental– contra las fuerzas macabeas. Durante la batalla, Eleazar, el hermano de Judas, vio lo que consideró equivocadamente era el elefante del rey seléucida. Se las arregló para situarse debajo de él y apuñalarle el vientre, pero resultó aplastado cuando el elefante moribundo se derrumbó sobre él.

La fortaleza de Herodes

Detalle de un grabado encontrado en el palacio de Herodes, el Herodium.

En el 104 a.C., Juan Hircano se convirtió en el rey de Judea tras suceder a su padre, Simón Macabeo. Ahora Judea era independiente de Siria y Juan y sus sucesores, llamados hasmoneos, llevaron a cabo una política de expansión territorial y conversión forzosa al judaísmo de las poblaciones conquistadas. Con el paso del tiempo, los hasmoneos se dividieron en facciones, guerreando tanto con ellos como con sus vecinos.

En el 63 a.C., el general romano Pompeyo intervino. Tomó Jerusalén, la capital de Judea, tras un brutal asedio y nombró a su propio gobernante, un funcionario del gobierno llamado Antípater, hijo de un converso forzoso al judaísmo. Aunque Judea se había convertido así en un estado cliente de Roma, Pompeyo le permitió conservar un cierto grado de su gobierno tradicional mediante los sacerdotes.

Al hijo de Antípater, Herodes, se le dio un cargo en la región de Galilea, al norte. Posteriormente, tras la muerte de Antípater, Roma reconoció a Herodes como rey de toda Judea. En el 37 a.C., Herodes impuso al país esa decisión, tomada en el extranjero, mediante la conquista de Jerusalén con ayuda romana. No obstante, su posición no era por completo segura. En las guerras subsiguientes al asesinato de Julio César, Herodes se puso del lado de Marco Antonio y en contra de Octaviano, el sobrino de César y su heredero oficial. Tras la derrota de Marco Antonio, Herodes tuvo que pedir perdón a Octaviano, que posteriormente se convertiría en el primer emperador de Roma con el nombre

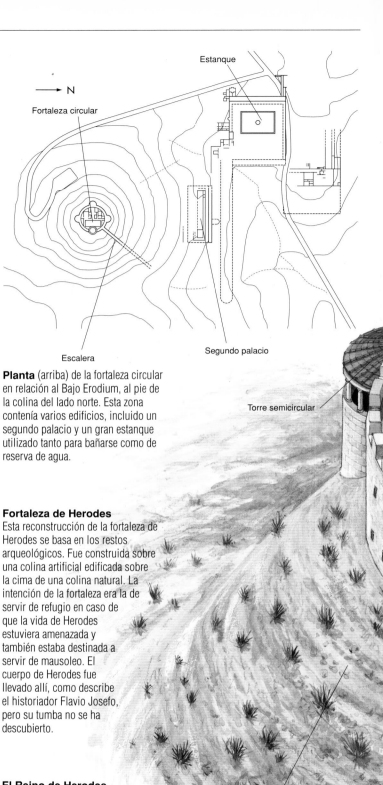

Planta (arriba) de la fortaleza circular en relación al Bajo Erodium, al pie de la colina del lado norte. Esta zona contenía varios edificios, incluido un segundo palacio y un gran estanque utilizado tanto para bañarse como de reserva de agua.

Fortaleza de Herodes
Esta reconstrucción de la fortaleza de Herodes se basa en los restos arqueológicos. Fue construida sobre una colina artificial edificada sobre la cima de una colina natural. La intención de la fortaleza era la de servir de refugio en caso de que la vida de Herodes estuviera amenazada y también estaba destinada a servir de mausoleo. El cuerpo de Herodes fue llevado allí, como describe el historiador Flavio Josefo, pero su tumba no se ha descubierto.

El Reino de Herodes
En el momento de su muerte, en el 4. a.C., el reino de Herodes el Grande había alcanzado su máxima extensión. Incluía Judea, Samaria y Galilea, y alcanzaba desde la frontera con Siria, en el norte, hasta el Reino nabateo, en el sur. El mapa muestra el territorio de Herodes en ese momento y el emplazamiento del Herodium y otras fortalezas que construyó durante su reinado. Situada al sur de Belén, el Herodium era indudablemente una de las más impresionantes construcciones de las muchas que realizó Herodes.

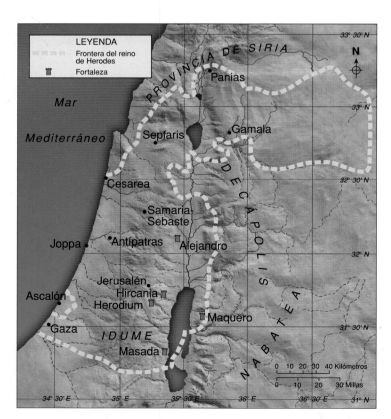

de Augusto. Herodes, conocido como «el Grande» por ser el hijo mayor, podía ser despiadado, pero era un buen administrador que sabía lidiar con habilidad las demandas de los diferentes grupos de los que dependía su poder. Intentó dejar su marca para la posteridad construyendo grandes edificios –sobre todo el templo de Jerusalén–, pero también con trabajos defensivos como la fortaleza del Herodium, al sureste de Belén. Sin embargo, los monumentos de Herodes no duraron mucho. Murió en el 4 a.C. y poco más de 70 años después el Templo que había construido y muchos otros de sus edificios fueron destruidos por los romanos cuando aplastaron sin piedad la revuelta judía.

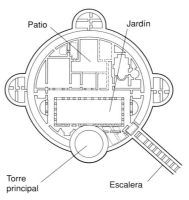

Patio · Jardín · Torre principal · Escalera

El plano del Herodium (izquierda) muestra la distribución de la fortaleza. El interior estaba dividido en dos secciones. En la zona situada bajo la torre redonda principal había un jardín rodeado de columnas. La otra mitad del palacio estaba dividida por un patio cruciforme. El único acceso a la fortaleza era mediante una escalera subterránea que trepaba desde la base de la colina.

Los bien conservados restos del Herodium vistos desde el aire. La columna cónica, que se asemeja a un volcán, se alza 758 metros sobre el nivel del mar y es un elemento muy característico de la zona.

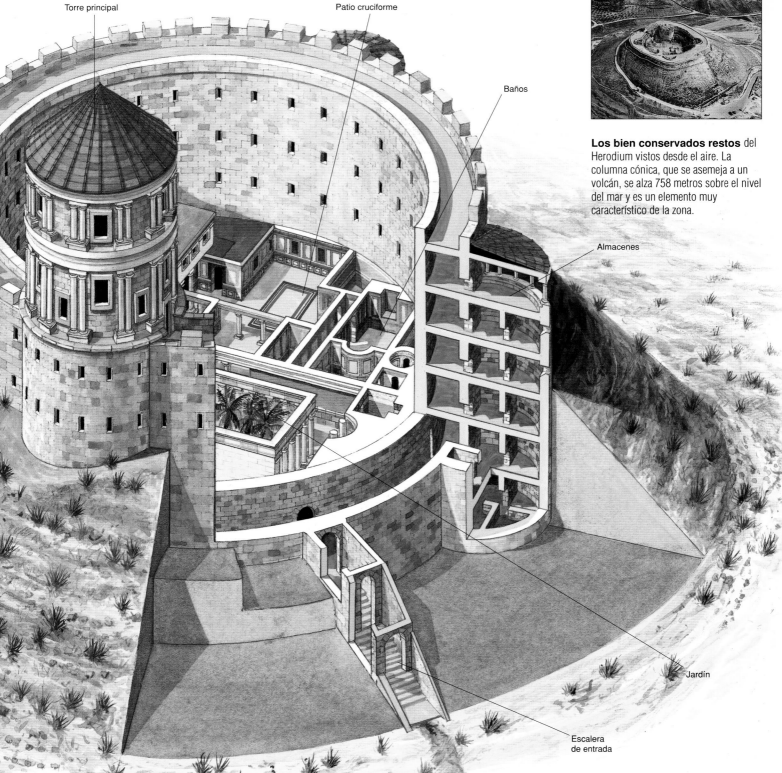

Torre principal · Patio cruciforme · Baños · Almacenes · Jardín · Escalera de entrada

Mosaico bizantino en el que se representa
la resurrección de Cristo

El Nuevo Testamento

E l Nuevo Testamento consiste en 27 libros, la mayoría escritos entre el 50 y el 100 a.C. Comienza con los cuatro Evangelios, una descripción de la vida y enseñanzas de Jesucristo. Vienen después los Hechos de los Apóstoles, que narran lo que sucedió tras la muerte y resurrección de Jesús, describiendo cómo los primeros seguidores de Jesús comenzaron a difundir su mensaje y a crear comunidades cristianas, o iglesias, por todo el mundo grecorromano. El resto del Nuevo Testamento consiste en Epístolas, con consejos y ánimos para esas nuevas iglesias escritas por diferentes autores. Termina con el Apocalipsis, una narración visionaria del Juicio Final y la llegada del reino de Dios.

Los Evangelios

Los principales detalles de la vida de Jesús se cuentan en los Evangelios, atribuidos a los evangelistas Mateo, Marcos, Lucas y Juan. Los Evangelios no son biografías sistemáticas de Jesús, sino que estaban destinados a inculcar y defender la fe cristiana. Para conseguir ese propósito, los autores de los Evangelios seleccionaron varios incidentes significativos de la vida de Jesús para demostrar con ellos que era hijo de Dios y que era Cristo, o el Mesías. Los judíos de la época esperaban que ese salvador los librara de sus enemigos y luego creara un nuevo orden mundial. Aunque los Evangelios no ofrecen más que pequeños datos sobre la vida de Jesús, el lector puede hacerse una idea tanto del hombre como de su época a partir de los evocadores relatos de la predicación y las conversaciones de Jesús, sus viajes, sus amigos y los detalles de la vida cotidiana.

Cómo y por quién fueron escritos los Evangelios

Las historias de los Evangelios derivan en realidad de los relatos orales de los hechos y enseñanzas de Jesús conservados por sus seguidores

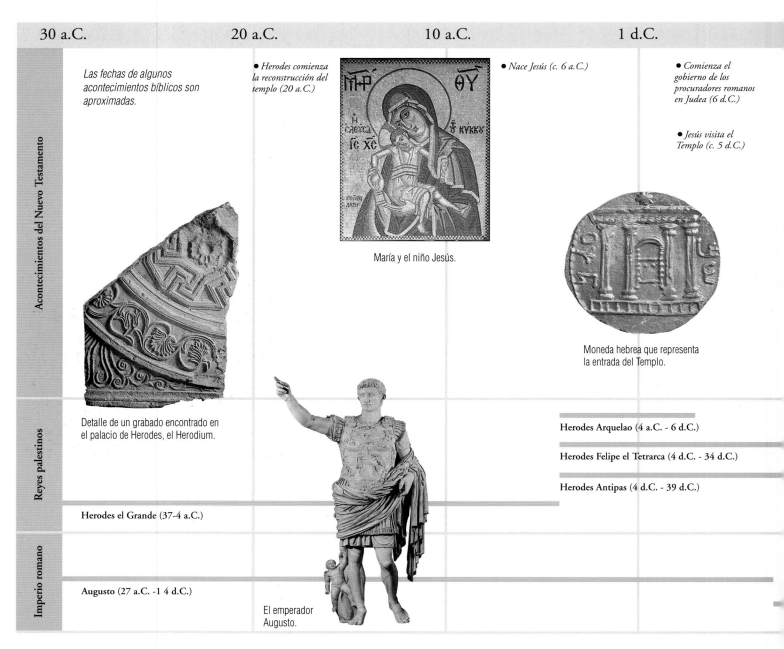

| 30 a.C. | 20 a.C. | 10 a.C. | 1 d.C. |

Las fechas de algunos acontecimientos bíblicos son aproximadas.

● *Herodes comienza la reconstrucción del templo (20 a.C.)*

● *Nace Jesús (c. 6 a.C.)*

● *Comienza el gobierno de los procuradores romanos en Judea (6 d.C.)*

● *Jesús visita el Templo (c. 5 d.C.)*

Acontecimientos del Nuevo Testamento

María y el niño Jesús.

Moneda hebrea que representa
la entrada del Templo.

Detalle de un grabado encontrado en
el palacio de Herodes, el Herodium.

Reyes palestinos

Herodes Arquelao (4 a.C. - 6 d.C.)

Herodes Felipe el Tetrarca (4 d.C. - 34 d.C.)

Herodes Antipas (4 d.C. - 39 d.C.)

Herodes el Grande (37-4 a.C.)

Imperio romano

Augusto (27 a.C. -1 4 d.C.)

El emperador
Augusto.

más cercanos. En un principio los acontecimientos más importantes se habrían memorizado y transmitido boca a boca. Finalmente, esos relatos orales se pusieron por escrito, probablemente en griego.

Los especialistas no se ponen de acuerdo sobre qué Evangelio fue escrito primero. La mayoría coinciden en que Marcos fue el primero y que fue utilizado por los autores del de Mateos y Lucas para sus propias versiones, junto a otra fuente, ahora perdida, y conocida sencillamente como «Q». Dadas sus similitudes, esos tres relatos se conocen como los Evangelios sinópticos (de la palabra griega que significa «vistos en conjunto»). El cuarto Evangelio, el de Juan, difiere en estilo y contenido de los Evangelios sinópticos. Incluye incidentes que éstos no mencionan, como el de Jesús convirtiendo el agua en vino en Caná. También es más teológico, pues examina en detalle la relación de Jesús con Dios.

Las identidades de los autores de los Evangelios no se conocen con certeza. Los Evangelios son anónimos y los nombres de sus autores se les atribuyeron tiempo después de haber sido escritos. Los nombres Mateo y Juan puede que se refieran a los apóstoles; Marcos se considera que fue el intérprete de Pedro, mientras que Lucas era un compañero de Pablo.

Los Hechos de los Apóstoles y las Epístolas

Los Hechos de los Apóstoles, atribuidos también a Lucas, describen cómo se difundió la fe cristiana, principalmente gracias a Pedro y sus compañeros. Los Hechos vienen seguidos de 21 epístolas, escritas a las primeras iglesias para animarlas en su fe. Trece de ellas se atribuyen a Pablo (aunque los especialistas dudan que fuera el autor de todas ellas), que incluyen algunos de los textos más apasionados y personales de la Biblia. De las restantes epístolas, siete se atribuyen a importantes personajes cristianos y una es anónima.

El Nuevo Testamento termina con el Apocalipsis, un texto inspirador y misterioso, lleno de simbolismo y extrañas imágenes sobre los planes de dios para la salvación final de la humanidad.

En el siglo II d.C. muchos textos cristianos, incluidos los Evangelios, estaban circulando. Los Padres de la Iglesia debatieron la validez de esos textos, rechazando algunos de ellos e incluyendo otros, hasta que en torno al siglo IV d.C. habían creado la estructura del Nuevo Testamento que conocemos hoy.

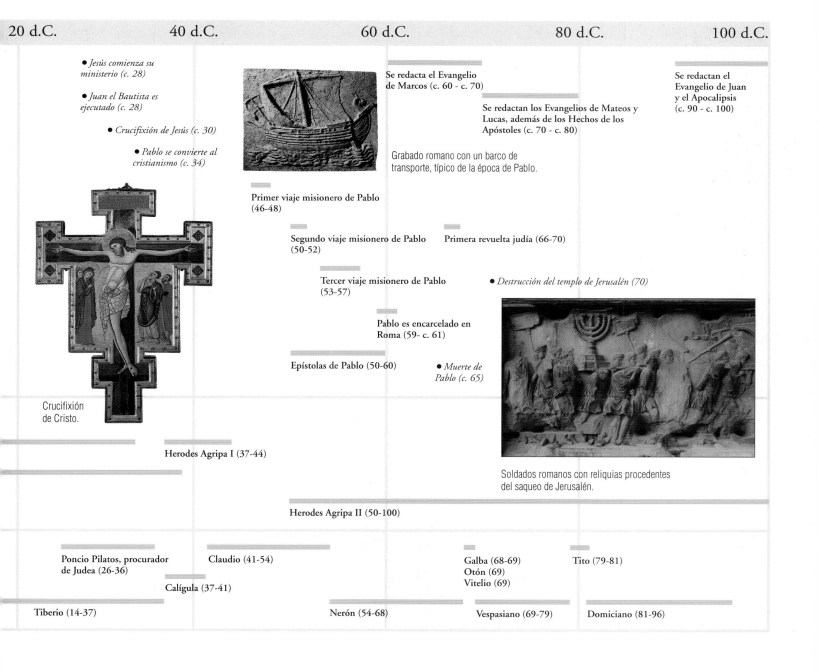

| 20 d.C. | 40 d.C. | 60 d.C. | 80 d.C. | 100 d.C. |

- *Jesús comienza su ministerio (c. 28)*
- *Juan el Bautista es ejecutado (c. 28)*
- *Crucifixión de Jesús (c. 30)*
- *Pablo se convierte al cristianismo (c. 34)*

Crucifixión de Cristo.

Se redacta el Evangelio de Marcos (c. 60 - c. 70)

Se redactan los Evangelios de Mateos y Lucas, además de los Hechos de los Apóstoles (c. 70 - c. 80)

Se redactan el Evangelio de Juan y el Apocalipsis (c. 90 - c. 100)

Grabado romano con un barco de transporte, típico de la época de Pablo.

Primer viaje misionero de Pablo (46-48)

Segundo viaje misionero de Pablo (50-52)

Primera revuelta judía (66-70)

Tercer viaje misionero de Pablo (53-57)

- *Destrucción del templo de Jerusalén (70)*

Pablo es encarcelado en Roma (59- c. 61)

Epístolas de Pablo (50-60)

- *Muerte de Pablo (c. 65)*

Soldados romanos con reliquias procedentes del saqueo de Jerusalén.

Herodes Agripa I (37-44)

Herodes Agripa II (50-100)

Poncio Pilatos, procurador de Judea (26-36)

Claudio (41-54)

Calígula (37-41)

Galba (68-69)
Otón (69)
Vitelio (69)

Tito (79-81)

Tiberio (14-37)

Nerón (54-68)

Vespasiano (69-79)

Domiciano (81-96)

Moneda con una imagen del emperador Augusto.

El Imperio romano

El mundo en el que nació Jesús estaba dominado por Roma, la capital del más poderoso imperio del mundo occidental. Desde las costa atlántica de España (en el oeste) hasta el mar Negro (en el este), desde el Rhin (en el norte) hasta el Nilo (en el sur), los romanos controlaban vastos territorios en donde las ciudades estaban conectadas mediante una muy amplia red de caminos bien construidos. En su centro el mar Mediterráneo era prácticamente un lago romano, rodeado completamente por territorio imperial.

Cuando en el 14 d.C. murió Augusto, el primer emperador romano, el Imperio casi había alcanzado su máxima extensión. Estaba formado por 36 provincias gobernadas por funcionarios responsables bien ante el Senado, el órgano legislativo del Imperio, bien ante el propio emperador. Esos gobernadores actuaban con ayuda de una eficiente burocracia y un poderoso y bien equipado ejército que mantenía el orden público y ayudaba a cobrar los impuestos. La *Pax romana* o «Paz romana» creada por Augusto permitió el florecimiento del comercio por todo el Imperio; un comercio ayudado por el control monetario y una red de carreteras y puertos mantenida en buen estado.

El Imperio romano era esencialmente urbano y las ciudades romanas de todo el territorio poseían rasgos comunes. Estaba el foro, que en origen era un lugar de mercado, que servía como centro social y político de la ciudad; estaban los baños, con habitaciones

Augusto

Los retratos y estatuas del emperador Augusto realizadas durante su vida le muestran como una figura paternal aunque joven. Aquí aparece representado con no más de 33 años, la edad con la que se convirtió en el primer emperador romano. Augusto (nombre que significa «el reverenciado») llegó a ser considerado semidivino, una idea que fue animada por los emperadores posteriores para así aumentar su propia autoridad.

frías y calientes; estaba el anfiteatro, donde tenían lugar los combates de gladiadores y otros espectáculos; y estaban, quizá, una biblioteca y una basílica, o salón público. Los romanos eran buenos arquitectos e ingenieros, utilizaban ladrillos, piedra y hormigón para construir magníficos templos, puentes, carreteras, acueductos, sistemas de drenaje y otras obras públicas.

En el este, los romanos llevaron paz y prosperidad. La única excepción fue Judea, que se convirtió en una provincia romana en el 6 d.C. Leales a su Dios y a su Ley, los judíos encontraron difícil de soportar el yugo romano, a pesar de la categoría especial concedida al judaísmo en las leyes romanas. Por ejemplo, los judíos quedaron exentos del servicio militar y no tenían que presentarse ante los tribunales en Sabbat. A pesar de esas medidas, el nacionalismo judío siguió siendo fuerte y una serie de gobernadores corruptos y carentes de mano izquierda, uno de los cuales fue Poncio Pilatos, exacerbaron el sentimiento antirromano. El descontento terminó por estallar en la gran rebelión del 66 d.C. Este levantamiento fue aplastado brutalmente por los romanos, con una violenta respuesta que culminó en el 70 d.C. con la completa destrucción de Jerusalén y de su magnífico Templo.

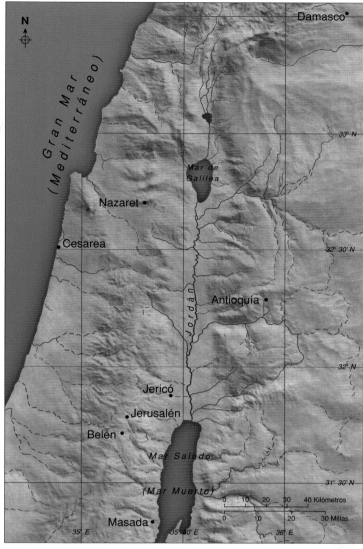

El Imperio romano
En el año 14 d.C., cuando murió Augusto, el Imperio romano estaba formado por 36 provincias (izquierda). Uno de los objetivos de Augusto fue crear un gobierno efectivo tanto para Roma como para sus provincias y él mismo nombraba a los funcionarios que gobernaban las provincias orientales, como Judea y Siria.

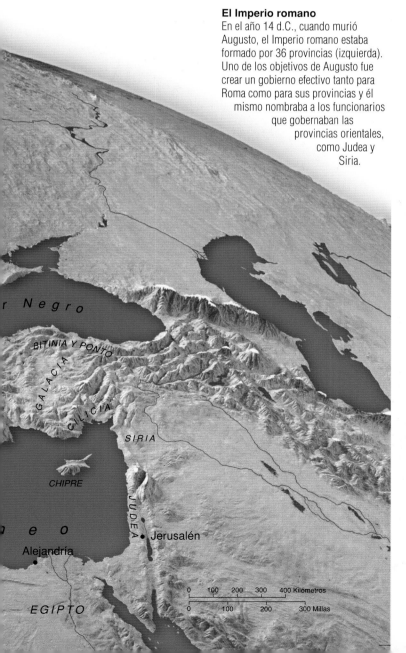

Las ciudades romanas de las provincias orientales compartieron muchos de los rasgos característicos de las ciudades provinciales de todo el Imperio. Esta avenida columnada y bien enlosada de Palmira, Siria (derecha), y el arco del triunfo de Volubilis, en Marruecos (debajo), son excelentes ejemplos de las habilidades de la arquitectura y la ingeniería romanas, así como de su orgullo cívico.

El anfiteatro, destinado a los combates de gladiadores y otros deportes crueles y sanguinarios, representaba un papel vital en la vida social romana. Las ruinas del de El-Jem, en Túnez (derecha), son un bello ejemplo de un anfiteatro de una ciudad de provincias.

El nacimiento de Jesús

La Virgen María y el niño Jesús

L a historia del nacimiento de Jesús en la ciudad de Belén, en Judea, es una de las más queridas de la tradición cristiana, además de ser la base de la celebración de la Navidad en todo el mundo. Sin embargo, a pesar de su familiaridad, el acontecimiento está rodeado de muchas incertidumbres. Sólo los Evangelios de Mateo y Lucas describen el nacimiento de Jesús, los de Marcos y Juan no lo mencionan en absoluto.

Lucas describe cómo María, una joven de Nazaret, fue elegida como madre de Jesús. Un ángel se le apareció y le dijo que traería al mundo a un hijo engendrado por el Espíritu Santo. Mateo dice que el ángel se le apareció a José, el prometido de María, diciéndole que no la rechazara, porque no le había sido infiel, sino que su hijo había sido engendrado por el Espíritu Santo. Se les dijo que llamaran Jesús al recién nacido.

> ■ Y el ángel le dijo: «No temas María [...] concebirás en tu seno, y darás a luz un hijo al que pondrás el nombre de Jesús. Él será grande, se llamará Hijo del Altísimo».
>
> Lucas 1, 30

La Natividad

Lucas dice que Jesús nació durante el reinado del emperador Augusto (30 a.C.–14 d.C.). Como resultado de un censo, José y María fueron a Belén, la ciudad ancestral del primero, para inscribirse. Cuando llegaron, la ciudad estaba tan repleta que no pudieron encontrar acomodo y tuvieron que alojarse en un establo. María tuvo allí a su hijo y lo dejó en un pesebre, donde comían los animales. Los primeros testigos del nacimiento de Jesús fueron los pastores locales, que recibieron instrucciones de un ángel para que fueran a visitar el niño sagrado.

Los Reyes Magos le presentan sus regalos al niño Jesús en un mosaico de Rávena, Italia. La Biblia no dice cuántos magos hubo, pero la tradición posterior dice que eran tres. Originalmente, los «magos» eran una tribu del Imperio persa, afamada por sus habilidades astrológicas.

Mateo se centra en los Reyes Magos, o sabios, que viajaron desde el este. Siguieron a una estrella que interpretaron como el heraldo del nacimiento del rey de los judíos. Cuando Herodes el Grande (37-4 a.C.), el soberano judío de Palestina, supo de los Reyes Magos y de su búsqueda se molestó ante la posibilidad de tener un rival al trono. Fue informado de que el profeta Miqueas había predicho que un nuevo «soberano» nacería en Belén,

La estrella de Belén

La naturaleza de la estrella que guió a los magos hasta el establo en Belén en donde nació Jesús sigue siendo objeto de debates. Algunos astrónomos afirman que la estrella puede haber sido un cometa. Aunque no existen informes de cometas en el año del nacimiento de Jesús, se ha calculado que el cometa Halley (a la izquierda) —el más brillantes de los cometas del sistema solar con órbita en torno a la tierra— apareció en el 12 a.C., uno seis años del momento en que se cree que nació Jesús. La línea discontinua del diagrama de la derecha representa la órbita del cometa Halley en relación a los planos orbitales de los planetas Tierra, Júpiter y Neptuno.

También se ha sugerido que la estrella pudo haber sido una supernova, una estrella que explota con un repentino aumento de su brillo. Otra teoría dice que la estrella fue una conjunción entre planetas —es decir, dos planetas que parecen que se mueven juntos–, un fenómeno que puede presentarse como una única y brillante fuente de luz. A comienzos del siglo XVI, el astrónomo alemán Johanes Kepler calculó que los planetas Júpiter y Saturno estuvieron en conjunción en el año 7 a.C. y que Venus y Júpiter lo estuvieron en el año 3 a.C. Ninguno de esos supuestos fenómenos naturales explica

satisfactoriamente la estrella descrita en el Evangelio de Mateo. Sin embargo, a pesar de cuál pueda ser su origen, la estrella es un elemento importante en los relatos del nacimiento de Jesús. Como reconocieron los magos, era un signo de que algo de gran importancia estaba a punto de suceder.

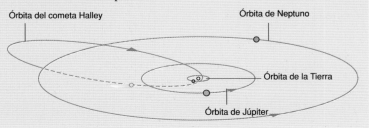

Órbita del cometa Halley

Órbita de Neptuno

Órbita de la Tierra

Órbita de Júpiter

La pequeña ciudad de Belén, vista desde el aire tal cual es en la actualidad (arriba) y en una imagen antigua (derecha). Algunos edificios y calles parecen haber cambiado muy poco desde la época de Jesús. Belén se encuentra a 8 kilómetros al sur de Jerusalén, entre las fértiles colinas y valles de Judea. Según el Evangelio de Lucas, fue en esas colinas donde el ángel brillante se le apareció a un grupo de pastores y les comunicó el nacimiento de Jesús.

Herodes llamó a los Reyes Magos y les dijo que buscaran allí al niño. Les dijo que tras encontrarlo fueran a informale, pues quería honrar al niño. Los Reyes Magos encontraron a María y a Jesús y les ofrecieron presentes de oro, mirra e incienso, que representan la realeza, la muerte y la resurrección. Luego regresaron a su país por un camino diferente, habiendo sido avisados mediante un sueño de que no volvieran ante Herodes.

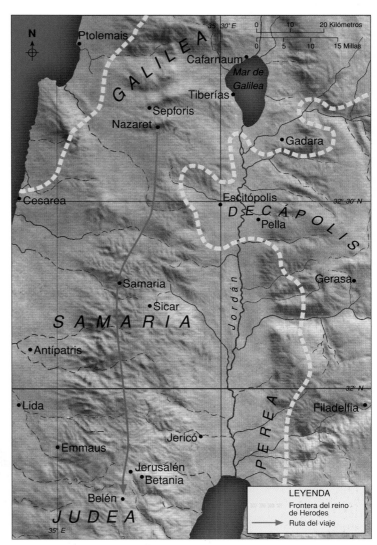

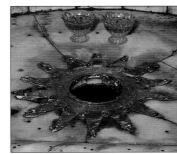

La iglesia de la Natividad en Belén se dice que se alza sobre el lugar donde nació Jesús. La iglesia, construida en el siglo VI por el emperador Justiniano, ocupa el lugar de una iglesia anterior dedicada en el 339 d.C. por Elena, madre de Constantino el Grande, el primer emperador cristiano de Roma.

En la cripta de la iglesia de la Natividad, situada debajo del altar, hay una estrella de plata engastada en mármol. La estrella lleva una inscripción que narra el nacimiento de Jesús. La iglesia fue desprovista de gran parte de su decoración tras las Cruzadas, pero fue restaurada a finales del siglo XIX.

El viaje hasta Belén

Según el Evangelio de Lucas, en la época del nacimiento de Jesús tuvo lugar un censo realizado por Quirino, el gobernador romano de Siria. El censo exigía que la gente se registrara en su ciudad ancestral. José, aunque vivía en Nazaret, en Galilea, pertenecía a la Casa de David y las raíces de su familia se encontraban en la ciudad de Belén, en Judea. De modo que se vio obligado, junto a María –por entonces en los últimos momentos de su embarazo–, a realizar un largo viaje hasta Belén, a unos 120 kilómetros al sur, en el que cruzaron la región de Samaria.

Mosaico que representa la huida de la Sagrada Familia a Egipto

La infancia de Jesús

Sólo los Evangelios de Mateo y Lucas describen los acontecimientos que siguieron al nacimiento de Jesús, pero sus relatos difieren de un modo bastante notable. Lucas describe cómo la Sagrada Familia fue al templo de Jerusalén para llevar a cabo ciertos rituales religiosos, mientras que Mateo nos informa de que, al temer por su seguridad, José, María y el recién nacido Jesús huyeron a Egipto siguiendo instrucciones de un ángel.

La presentación en el Templo

Según Lucas, Jesús fue circuncidado y recibió su nombre el octavo día después de su nacimiento: «Jesús» es el equivalente griego del nombre hebreo «Josué», que significa «El señor salva». Después la familia realizó un corto viaje desde Belén hasta el templo de Jerusalén para realizar dos rituales. El primero tenía que ver con María, que estaba obligada a realizar un pequeño sacrificio para señalar el final del período de «impureza» que seguía al nacimiento de un niño. En la segunda ceremonia,

> ■ Ahora, Señor, puedes dejar a tu esclavo ir en paz [...], porque mis ojos han visto tu salvación.
>
> Lucas 2, 29-30

conocida como la «redención del primogénito», Jesús fue presentado a Dios porque la Ley judía decía que todos los primogénitos varones, ya fueran humanos o animales, eran sagrados para el Señor.

Al llegar a los patios del Templo, la familia se encontró con un anciano llamado Simeón, a quien el Espíritu Santo le dijo que no moriría hasta haber visto al Mesías. Cuando Simeón vio a Jesús lo reconoció inmediatamente como el Cristo que llevaría la salvación, lo tomó en sus brazos y alabó a Dios. Luego Simeón bendijo a la familia, prediciendo que Jesús tendría una vida turbulenta y causaría muchos sufrimientos a su madre.

Nada más separarse Simeón de ellos, una viuda de 84 años llamada Ana se acercó a la familia. Ana era profetisa y también reconoció a Jesús como Cristo, hablándole de él a cualquiera que estuviera buscando la redención. Tras ello, y habiendo realizado los rituales, José, María y Jesús regresaron a la ciudad de Nazaret, en Galilea.

La huida a Egipto

El relato que hace Mateo de los acontecimientos posteriores al nacimiento de Jesús es muy diferente. Dice que José fue advertido por un ángel en un sueño de que Herodes el Grande quería matar a Jesús. Herodes, nombrado por Roma rey de Judea, había sabido de él por medio de los Reyes Magos y temía que al final el niño le quitara el puesto. De modo que decretó que todos los niños menores de dos años debían ser asesinados. Para escapar a ese horrible destino, la Sagrada Familia huyó a Egipto. Mateo no proporciona detalles sobre el viaje propiamente dicho, ni de dónde se asentó la familia en Egipto, ni de lo que hicieron allí; pero como resultado de su acción escaparon a la «masacre de los inocentes» de Herodes. Permanecieron en Egipto hasta que un ángel avisó a José de que Herodes había muerto y de que ya podía regresar a Israel con seguridad. José y su familia se asentaron en Nazaret, procurando no entretenerse en Judea, en donde el hijo y sucesor de Herodes, Arquelao, estaba demostrando ser un déspota tan cruel como lo había sido su padre.

La educación de Jesús

Los Evangelios dicen muy poco de la vida diaria de Jesús en Nazaret. Esta pequeña ciudad, situada entre unas colinas de caliza y rodeada por fértiles campos, era un típico asentamiento rural galileo: un conglomerado de casas (en su mayoría de un piso) separadas por calles estrechas, con una plaza de mercado y una sinagoga.

Aunque un tanto aletargada y solitaria, la ciudad dominaba la carretera principal entre Egipto, Damasco y la costa, de modo que debía recibir noticias del exterior con bastante rapidez. A sólo seis kilómetros al norte se encontraba Sepforis, donde Herodes Antipas tuvo su corte hasta el año 22 d.C.

Poco es lo que se conoce de los primeros momentos de la vida de Jesús, pero probablemente siguiera los pasos de su padre como carpintero. Como judío visitaría la sinagoga local y aprendería las historias de la rica historia sagrada de Israel. Aunque no se menciona en ningún sitio que recibiera una educación rabínica formal, Jesús tenía fama por sus amplios conocimientos sobre la Ley judía. Lucas menciona una historia de Jesús cuando tenía doce años, durante la visita anual de la familia a Jerusalén para la Pascua. Sus padres comenzaron el regreso a casa sin darse cuenta de que Jesús se había quedado atrás en el Templo. Allí fue donde lo encontraron, discutiendo sobre la Ley con eruditos que estaban sorprendidos por sus conocimientos. Jesús reprendió a sus preocupados progenitores, diciéndoles que tendrían que haber sabido que lo encontrarían en la casa de su Padre. Es la única ocasión en que Jesús aparece como niño en los Evangelios. La siguiente vez es descrito como un adulto a punto de comenzar su ministerio.

Judea, en la infancia de Jesús

Jesús creció en un mundo dominado por una ciudad, Roma. Su propia gente, los judíos, se sentía especialmente molesta por el dominio romano, a los que consideraban unos extranjeros paganos. Un acontecimiento político que ilustra vívidamente los sentimientos judíos tuvo lugar en el año 6 d.C. Fue entonces cuando Judas el Galileo encabezó una rebelión judía contra la incorporación de Judea al Imperio romano y el pago de tributos a Roma. La revuelta fue aplastada por las autoridades romanas con brutal severidad. No hay modo de saber lo que pensaba Jesús de los acontecimientos de su época, pero unos 20 años después, según el Evangelio de Marcos, insistió en que el pueblo tenía que «darle al César lo que es del César y a Dios lo que es de Dios».

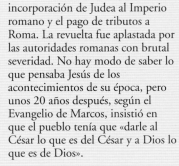

Reverso de la misma moneda.

Moneda de Judea, seguramente de la época de Jesús.

El Templo de Herodes el Grande, reconstruido aquí como parte de una maqueta de Jerusalén, tuvo un papel destacado en los primeros años de la vida de Jesús. Lucas cuenta que fue conducido allí siendo un recién nacido y que allí le reconocieron como Mesías dos personas diferentes. Lucas también cuenta la historia de Jesús niño discutiendo sobre la Ley con los maestros del Templo. Posteriormente, Jesús se enfrentaría con los ancianos judíos respecto a la presencia de mercaderes y cambistas de dinero en el recinto del Templo.

La familia de Jesús visitaba Jerusalén todos los años para celebrar la Pascua. Un año, de camino a casa, cuando Jesús tenía 12 años, se dieron cuenta de que el niño se había perdido. Con gran ansiedad regresaron a la ciudad a buscarlo. Esta pintura suiza del siglo XII (arriba) representa la escena en que al fin lo encontraron, en el Templo y debatiendo sabiamente sobre la Ley judía.

Las exuberantes colinas de Galilea en las que creció Jesús. Esta provincia septentrional de Israel era conocida por el ajetreo y el bullicio de la gran ciudad de Jerusalén, a 120 kilómetros al sur de Judea, en donde Jesús terminaría su ministerio. Jesús se refiere a menudo a los elementos del paisaje rural galileo —viñedos, higueras, flores, campos y animales— en sus parábolas y otras enseñanzas.

Nazaret, el hogar de la infancia de Jesús, se mantuvo relativamente aislado durante siglos, a pesar de su cercanía a alguna de las principales rutas comerciales del país. Situada en un alto valle en el extremo meridional de las montañas del Líbano, con altas cumbres al norte, oeste y este, incluida la redondeada cima del monte Tabor, se encontraba muy alejada del centro principal de la vida religiosa y política judía, Jerusalén. A comienzos del siglo XX, Nazaret seguía siendo una pequeña ciudad rural (arriba a la izquierda). Últimamente ha crecido con rapidez (arriba) y ahora cuenta con una población de 60.000 personas. También posee la mayor de las catedrales del Oriente Próximo —la de la Anunciación—, pero aún así todavía conserva ese aire de ciudad de mercado.

Juan bautiza a su primo Jesús en la decoración de esta pila bautismal

El bautismo de Jesús

Cuando Jesús tenía unos 30 años, abandonó su ciudad para comenzar su ministerio. Pero antes tuvo que realizar dos profundos y diferentes ritos de paso: el bautismo de su primo Juan y la tentación en el desierto y otros lugares por parte del demonio.

Tradicionalmente, el bautismo era un rito destinado únicamente a señalar la entrada de los no judíos, convertidos al judaísmo, en la comunidad judía. No obstante, Juan el Bautista –una figura severa y ascética que llevaba una vida frugal– comenzó a causar revuelo al bautizar tanto a los judíos como a los que no lo eran, diciéndole a la gente que se arrepintiera y anunciando que un nuevo orden mundial estaba a punto de ser inaugurado por el Mesías, cuya llegada era inminente.

■ [...] y sonó una voz desde los cielos: «Tú eres mi Hijo querido, en ti me agradé».

Marcos 1, 11

Juan bautizaba a la gente en el río Jordán, cerca del rocoso desierto conocido como el páramo de Judea. Cuando Jesús llegó al río y le pidió a Juan que lo bautizara, Juan de inmediato lo reconoció como el Mesías y dudó, al creer que éste no necesitaba arrepentirse y bautizarse. Pero Jesús sostuvo que era la voluntad de Dios, de modo que Juan aceptó, bautizándolo mediante una inmersión total en el río. Al salir Jesús del agua, recibió la confirmación divina de su calidad cuando el Espíritu Santo descendió sobre él en forma de paloma y una voz desde el cielo anunció que era el amado hijo de Dios, de quien Dios se sentía complacido.

La tentación en el páramo

Tras el momento sublime del bautismo y la revelación divina, Jesús fue conducido de inmediato por el Espíritu Santo al desierto para ser «tentado», o puesto a prueba, por el diablo. El desierto se identifica generalmente con el propio páramo de Judea, que se encuentra al este y va desde Jerusalén hasta el mar Muerto y el río Jordán. Esa zona desolada era, según la creencia popular, la morada de los demonios. Allí ayunó Jesús durante 40 días y 40 noches hasta que estuvo débil por el hambre. En ese momento apareció el demonio para tentarlo diciéndole que si tenía hambre y era el verdadero hijo de Dios no tenía más que convertir las piedras del desierto en panes. Pero Jesús le reprendió diciéndole que la gente no sólo necesitaba pan para vivir, sino también la palabra de Dios.

Entonces el diablo llevó a Jesús hasta un parapeto del Templo, en Jerusalén, y le dijo que saltara, citando a las Sagradas Escritura como prueba de que Dios enviaría ángeles para impedir que se hiciera daño. Pero Jesús se negó a ello, insistiendo en que era un error poner a Dios a prueba.

Por último, el diablo llevó a Jesús a una montaña sin nombre desde donde se podían ver todos los reinos del mundo. El diablo le prometió a Jesús que se los daría si lo adoraba. Jesús se negó, exclamando que lo correcto era adorar y servir sólo a Dios. Derrotado, el diablo se fue y entonces Jesús fue cuidado por ángeles. Ahora estaba completamente preparado para comenzar su ministerio.

El bautismo de Cristo, representado en un mosaico temprano. Jesús, en el centro, está siendo bautizado por su primo Juan. En el momento de su bautismo el Espíritu Santo, en forma de paloma, descendió sobre él desde el cielo y se oyó una voz que proclamaba que Jesús era el Hijo de Dios.

El bautismo y la tentación El emplazamiento del lugar del bautismo de Cristo es controvertido, pero la tradición por lo general se muestra favorable a El-Maghtas, al sur de Jericó. Cerca de allí, en Qumrán, era donde vivía la rigurosa secta religiosa de los esenios, que quizá contara con Juan el Bautista entre sus miembros. Las posteriores tentaciones de Jesús tuvieron lugar en el páramo de Judea.

Los esenios

La práctica por parte de Juan el Bautista de la inmersión ritual para bautizar, su ascetismo y algunas de sus enseñanzas han llevado a algunos especialistas a sugerir que era un miembro de la secta de los esenios. Estos eran un austero grupo judío que vivía en Qumrán, al noroeste del mar Muerto, la zona en donde Juan estaba predicando y bautizando. Las excavaciones en Qumrán han encontrado habitaciones comunales, un refectorio, un scriptorium –donde se copiaban los textos sagrados–, así como establos y cerámica. También han aparecido herramientas de escritura, como tinteros (derecha).

Los esenios practicaban un ascetismo estricto, compartiendo sus bienes y las comidas con todos su compañeros. Creían que eran los verdaderos seguidores de Dios y sus sacerdotes afirmaban ser descendientes de Zadok, un Gran

Sacerdote de tiempos de David. Esto les daba una mayor autoridad que al «falso sacerdocio», que era como llamaban al judaísmo contemporáneo. Los esenios creían que el final del mundo estaba próximo y por ello sentían la necesidad de mantenerse mental, espiritual y físicamente puros. La importancia de esa última preocupación queda demostrada por los muchos baños y depósitos de agua encontrados en Qumrán.

Una de las cuevas de las colinas que rodea Qumrán en donde los manuscritos del mar Muerto permanecieron escondidos durante cerca de dos mil años. Los manuscritos eran la biblioteca de la comunidad esenia de Qumrán y puede que fueran llevados a las cuevas por seguridad en torno al 68 d.C., cuando se produjo la rebelión judía contra Roma.

El antiguo asentamiento de Qumrán, cercano al mar Muerto, se encuentra en la actualidad reducido a ruinas. En tiempos de Jesús, esta comunidad de esenios, una secta judía estricta, llevaba una vida ascética que incluía la propiedad común, rigurosas devociones religiosas y el celibato.

El asentamiento de los esenios en Qumrán estaba bien provisto de agua. Era traída desde las colinas mediante un acueducto y luego distribuida por medio de tuberías a varios depósitos y canales de irrigación. Cerca del acueducto había un baño, que todos utilizaban varias veces al día para purificarse ritualmente.

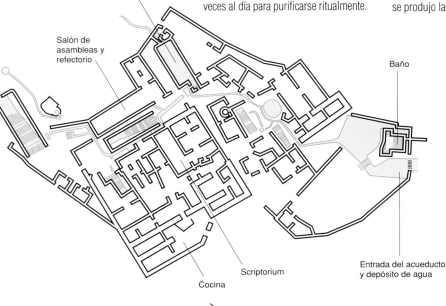

Depósito de agua · Salón de asambleas y refectorio · Baño · Scriptorium · Cocina · Entrada del acueducto y depósito de agua · N

Los manuscritos del mar Muerto fueron descubiertos por accidente en 1947 en cuevas en torno a Qumrán. Estaban hechos de cuero y almacenados en grandes jarras de cerámica como la que se ve a la izquierda. Los manuscritos consistían principalmente en escritos y comentarios religiosos.

El ministerio de Jesús

Los Evangelios nos dicen que Jesús hizo aproximadamente unos 50 viajes durante los tres años o poco más que duró su ministerio. En algunos casos los lugares visitados pueden ser identificados, pero por lo general los Evangelios omiten sus nombres o sólo hacen vagas referencias a su localización.

Aunque Jesús realizó viajes a Jerusalén y otros lugares, la mayor parte de sus enseñanzas y curaciones tuvo lugar en la provincia de Galilea, al norte, y allí fue donde reclutó a sus primeros discípulos. Según Flavio Josefo, el historiador judío de siglo I d.C., toda la región era exuberante y fértil y su rico suelo producía nueces, higos, aceitunas y vino. La zona también era «excelente para las cosechas y el ganado y era rica en bosques de todo tipo». Las imágenes utilizadas en las parábolas e historias de Jesús –la pesca, la siembra, la cosecha, el cuidado de las ove-

jas o de los viñedos– reflejan la rica variedad del campo galileo, que él conocía tan bien.

En el centro de la región se encontraba el mar de Galilea, conocido también como el lago Genesaret, un lago de agua dulce de unos 20 kilómetros de largo y 13 kilómetros de ancho. Jesús centró mucho su atención en las ciudades situadas en torno a este mar. Su cuartel general y segundo hogar se encontraba en Cafarnaum, en la orilla noroccidental. En la ciudad de Genesaret, al sur, curó a un enfermo y en Tabga realizó el milagro de alimentar a la multitud con panes y peces. En Betsaida, unos pocos kilómetros al norte del mar, curó a un hombre ciego. Jesús también visitó otras partes de Galilea, como Caná, donde transformó el agua en vino en un banquete de bodas, y Naín, donde devolvió a la vida al hijo de una viuda.

Arriba: Pintura del siglo XII procedente de una iglesia suiza en donde Jesús cura a un hombre sordomudo.
Fondo: Los olivos florecen en Palestina.
Mapa: Galilea.

1. El mar de Galilea.
2. Viñedos al sur de Belén.
3. La confluencia del río Jordán y el mar de Galilea.
4. Mosaico del siglo IV con peces, procedente de una sinagoga de Tiberías.

Ptolemais

Cafarnaum

GALILEA

Caná

Tiberías

Nazaret

Nain

Mar de
Galilea

Los milagros de Jesús

Pilar de la sinagoga en Cafarnaum.

Según los cuatro Evangelios, uno de los principales rasgos del ministerio de Jesús fue su capacidad, mediante el poder de Dios, para realizar milagros. Los especialistas todavía discuten sobre la autenticidad y el simbolismo de esos milagros y tienden a distinguir entre los milagros sanadores (incluido el exorcismo) y aquellos que implican al mundo sobrenatural, como caminar sobre las aguas o calmar una tormenta.

Dos de los milagros mejor conocidos tuvieron lugar en el mar de Galilea. El primero cuando Jesús y sus discípulos estaban navegando por el mar y se vieron sorprendidos por una tormenta. Este mar

> ■ Se asustaron con un susto enorme y se decían unos a otros: «Entonces ¿quién es éste? ¡Porque el viento y la mar le obedecen!».
>
> Marcos 4, 41

es conocido por las repentinas tormentas que lo barren todo con repentina ferocidad viniendo desde el monte Hermón y las mesetas del norte. Cuando vieron a las olas chocar contra los costados del casco, a los compañeros de Jesús comenzó a entrarles pánico, sobre todo cuando vieron que él estaba dormido. Lo despertaron y él no tardó en «reprender» al viento y al mar, que se calmaron de inmediato.

El segundo milagro en el mar de Galilea tuvo lugar después de que Jesús diera de comer a cinco mil personas con cinco panes y dos peces en un lugar desértico cercano. Tras ello, Jesús se alejó solo para orar y, a la mañana siguiente, los discípulos se quedaron asombrados al verlo andar hacia ellos sobre la superficie del agua.

Jesús, sanador

Jesús también realizó varios milagros en Cafarnaum, incluida la curación de dos paralíticos. Uno de ellos era el sirviente de un centurión romano. El otro un hombre cuyos amigos lo bajaron a través del techo de la casa en la que Jesús estaba predicando. Al reconocer la fuerza de su fe, Jesús les perdonó por la interrupción y le dijo al hombre «levántate, toma tu esterilla y vete a casa».

Algunos milagros importantes sólo aparecen en el Evangelio de san Juan. Entre ellos el primer milagro de Jesús, cuando convirtió el agua en vino en una boda en Caná. Pero quizá el milagro más espectacular fuera el de la resurrección de su amigo Lázaro. Jesús ordenó que se abriera la tumba de Lázaro y luego le gritó a éste que saliera. Lentamente, Lázaro salió envuelto en un sudario de tela blanca, habiendo sido devuelto a la vida después de cuatro días en la tumba.

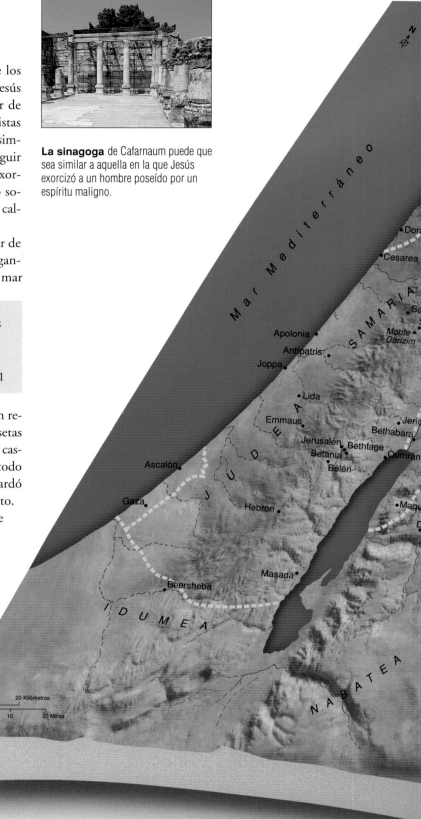

La sinagoga de Cafarnaum puede que sea similar a aquella en la que Jesús exorcizó a un hombre poseído por un espíritu maligno.

Palestina en tiempos de Jesús
La mayoría de los milagros que Jesús realizó tuvieron lugar en su zona de origen, la región de Galilea, aunque algunos de ellos fueron realizados en otros lugares. En Fenicia, por ejemplo, curó a la hija de una gentil, mientras que en Jerusalén curó a un hombre enfermo y le devolvió la vista a un ciego de nacimiento. La muchedumbre viajaba grandes distancias para escuchar las enseñanzas de Jesús, desde Judea, Idumea y tierras de más allá del río Jordán.

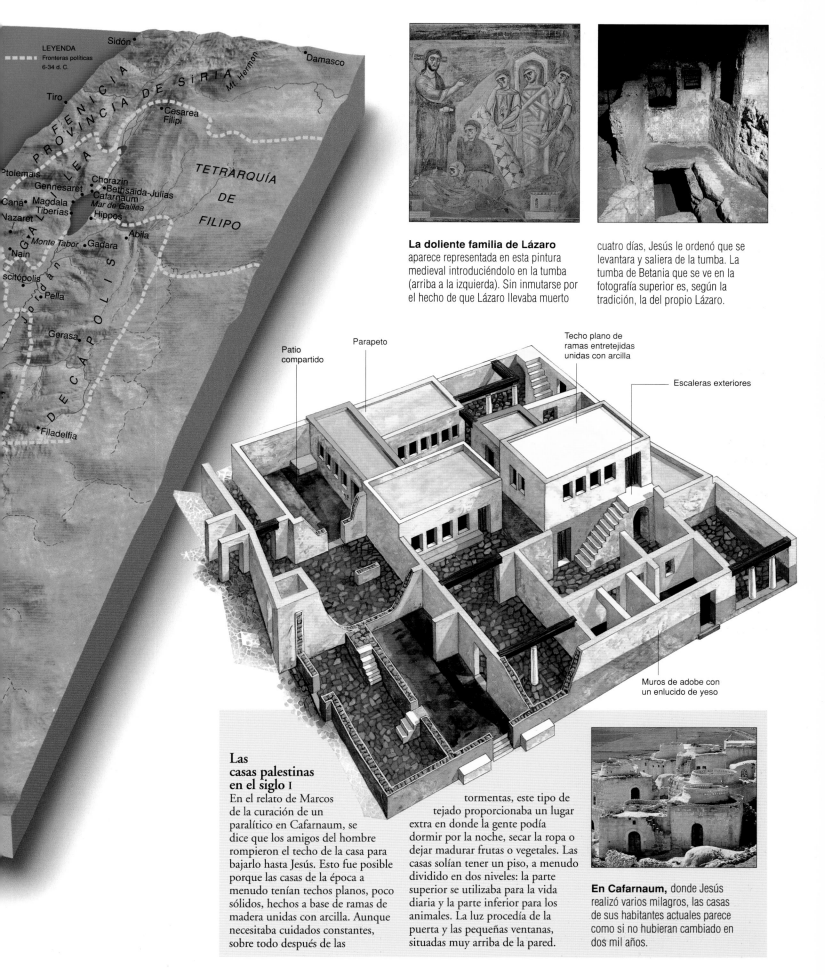

LEYENDA
Fronteras políticas
6-34 d. C.

La doliente familia de Lázaro
aparece representada en esta pintura
medieval introduciéndolo en la tumba
(arriba a la izquierda). Sin inmutarse por
el hecho de que Lázaro llevaba muerto

cuatro días, Jesús le ordenó que se
levantara y saliera de la tumba. La
tumba de Betania que se ve en la
fotografía superior es, según la
tradición, la del propio Lázaro.

Patio compartido

Parapeto

Techo plano de
ramas entretejidas
unidas con arcilla

Escaleras exteriores

Muros de adobe con
un enlucido de yeso

Las casas palestinas en el siglo I

En el relato de Marcos
de la curación de un
paralítico en Cafarnaum, se
dice que los amigos del hombre
rompieron el techo de la casa para
bajarlo hasta Jesús. Esto fue posible
porque las casas de la época a
menudo tenían techos planos, poco
sólidos, hechos a base de ramas de
madera unidas con arcilla. Aunque
necesitaba cuidados constantes,
sobre todo después de las
tormentas, este tipo de
tejado proporcionaba un lugar
extra en donde la gente podía
dormir por la noche, secar la ropa o
dejar madurar frutas o vegetales. Las
casas solían tener un piso, a menudo
dividido en dos niveles: la parte
superior se utilizaba para la vida
diaria y la parte inferior para los
animales. La luz procedía de la
puerta y las pequeñas ventanas,
situadas muy arriba de la pared.

En Cafarnaum, donde Jesús
realizó varios milagros, las casas
de sus habitantes actuales parece
como si no hubieran cambiado en
dos mil años.

Un mosaico armenio que representa una cesta con uvas.

Las enseñanzas de Jesús

Mientras recorría Palestina, Jesús predicó la palabra de Dios tanto en sermones públicos como en conversaciones privadas. A menudo exponía sus ideas mediante parábolas, es decir, historias en las que utilizaba comparaciones y ejemplos sacados de la vida diaria para expresar ideas complejas, sobre todo respecto a la fe, la ética y la política.

La mayoría de las parábolas de Jesús destacaban una única cuestión, por lo general haciendo una llamamiento a la gente para que pusiera su fe en Dios. En la parábola del hijo pródigo, por ejemplo, un hijo arrepentido regresa a casa de su indulgente padre tras una vida de desenfreno. Esto demuestra, simbólicamente, el amor de Dios por cualquier pecador que regrese a él.

■ El reino de los cielos es parecido a un tesoro oculto en el campo que un hombre encontró y ocultó; y por la alegría de haberlo encontrado va a vender todo lo que tiene, para comprar aquel campo.

Mateo 13, 44

Parábolas complejas

Algunas parábolas, sin embargo, poseen más de una interpretación posible, que no siempre era evidente para los oyentes de Jesús. Por ejemplo, contó una historia de un grupo de perversos arrendatarios que mataron a los sirvientes y al hijo de su casero cuando fueron a recaudar la parte de la cosecha que le debían. Cuando Jesús preguntó a quienes le escuchaban lo que debía haber hecho el dueño de la tierra, ellos replicaron violentamente: «Por malos acabará con ellos de mala manera y arrendará la viña a otros labradores que le paguen los frutos a su debi-

do tiempo» (Mateo 21, 41). La gente entendía el mensaje desde una perspectiva personal, pero a otro nivel Jesús estaba criticando a la clase dirigente religiosa. En este caso el terrateniente representa a Dios, mientras que los sirvientes representan a los profetas; el hijo del terrateniente era el propio Jesús y los malvados arrendatarios eran los líderes religiosos judíos de la época, con quien Jesús se mostraba muy crítico. Esos líderes, los grandes sacerdotes y los fariseos, reconocieron la crítica que Jesús hacía de ellos en esa y otras parábolas, considerándolo por lo tanto una amenaza contra su autoridad.

Un atractivo duradero

El duradero atractivo de las parábolas de Jesús le debe mucho al hecho de que tomaba sus ejemplos de las actividades diarias, como la fabricación del vino, el cultivo de la granja o la cría de ovejas, para ilustrar los puntos abstractos. Una de las parábolas mejor conocidas de Jesús toma su imaginería de la granja: la semilla lanzada a voleo que cae en terrenos diferentes con resultados diferentes. Algunas semillas son comidas por los pájaros; otras germinan en terreno rocoso, pero luego se marchitan; otras más resultan ahogadas por las espinas y algunas producen una buena cosecha. La siembra a voleo simboliza la palabra de Dios y el terreno bueno representa a los oyentes receptivos que escuchan, comprenden y actúan según el mensaje de Dios.

Conversaciones de Jesús

En el Evangelio de Juan se recogen con cierto detalle algunas conversaciones de Jesús. Una de las más in-

Jesús representado como el buen pastor en un mosaico de Rávena (Italia) del siglo v. Jesús utilizaba la imagen cotidiana de un pastor con sus ovejas para describir su relación con sus seguidores. Como un buen pastor, los protegía y se preocupaba por ellos, yendo a buscar a cualquiera que se hubiera perdido y alegrándose al encontrarlos.

Jesús utilizó la imaginería de la siega y la cosecha en varias parábolas. En la imagen superior unas mujeres recogen trigo en Gaza en un modo que no ha cambiado desde la época de Jesús. Éste se encontró con la mujer samaritana en un pozo que probablemente tuviera un aspecto parecido al de la imagen de la izquierda. La mujer se sorprendió de que Jesús le hablara debido a la hostilidad existente entre los judíos y los samaritanos.

teresantes es el diálogo con una mujer samaritana en un pozo. Jesús le ofrece a la mujer el agua de la vida eterna y cuando ella le dice que tiene fe en que el Mesías llegará, Jesús replica que es él mismo. Rebosante de alegría, la mujer salió corriendo para hablarle a la gente sobre Jesús. Poco después una muchedumbre se reunió en torno a él y muchos se convirtieron en creyentes. El incidente demuestra que Jesús estaba preparado para enseñarle a todo el mundo, incluso a los samaritanos, a quienes por lo general los judíos despreciaban profundamente.

Un pastor moderno vigila su rebaño en las montañas que rodean Belén. Las ovejas y los pastores aparecen mencionados unas trescientas veces en la Biblia.

El monte Garizim era sagrado para los samaritanos. Nunca perdonaron a los judíos que destruyeran su templo en la cima de la montaña (arriba) en el año 128 a.C.

El buen samaritano

Una de las parábolas mejor conocidas de Jesús es la historia del buen samaritano, que contó como respuesta a la pregunta «¿Quién es mi vecino?» El samaritano rescató a un viajero que había sido golpeado, robado y dado por muerto en la carretera a Jericó. Al contrario que el sacerdote judío y un funcionario del templo, que pasaron junto a la víctima por el otro lado de la carretera, el samaritano se detuvo, vendó las heridas del hombre y lo llevó a una posada. Su acción fue la de un buen vecino.

Para una audiencia judía, la fuerza de la parábola reposaba no tanto en el comportamiento del sacerdote y el funcionario –que temían una profanación ritual al tocar lo que creían era un cadáver–, sino en el hecho de que fuera un samaritano quien se detuviera. Si bien en época de Jesús los samaritanos adoraban al mismo dios que los judíos y compartían algunos de sus rituales religiosos, los dos pueblos eran enemigos tradicionales. Los judíos rechazaban a los samaritanos por su falta de compromiso con la Ley judía, mientras que los samaritanos se mostraban molestos con los judíos porque éstos habían destruido su templo en el monte Garizim. Dados estos antecedentes, el significado de la parábola de Jesús está claro: un buen vecino es aquel que pude superar emociones tan fuertes como el odio y los prejuicios para responder ante una necesidad humanitaria.

La carretera desde Jerusalén a Jericó atraviesa el páramo de Judea. Fue en esta inhóspita vía donde Jesús situó la parábola del buen samaritano.

El sermón de la montaña

El Evangelio de Mateo nos cuenta que un día Jesús llevó a sus discípulos montaña arriba. Allí se sentó y les dijo lo que se ha llegado a conocer como el sermón de la montaña. Aunque muchos especialistas creen que el sermón es una compilación de las enseñanzas de Jesús, es posible que en alguna ocasión concreta realizara un discurso largo.

La tradición identifica el monte con la herbosa colina que domina el mar de Galilea entre Cafarnaum y Genesaret. En la actualidad ese lugar idílico está coronado por la iglesia de las Beatitudes.

En el Evangelio de Mateo el sermón aparece dividido en cinco secciones y detalla los principios de la moral sobre los que se basan las enseñanzas cristianas. Comienza con las Beatitudes, que afirman que un determinado grupo de personas, como las que lloran, las que buscan la paz, las que son dóciles, las que son

misericordiosas o puras de corazón o aquellas que han sido perseguidas por sus creencias están bendecidas por Dios. Tomadas en conjunto, las Beatitudes representan al discípulo ideal, al contrastar los aspectos de su carácter con las cualidades aprobadas por el mundo exterior.

El sermón examina la relación entre las enseñanzas de Jesús y la Ley judía, que Jesús deja claro que ha venido a respetar, no a abolir. Se refiere a cuestiones éticas como el asesinato, el adulterio y el divorcio, haciendo hincapié en la importancia de la actitud interior tanto como de las acciones exteriores. Jesús anima a sus seguidores a perdonar y amar a sus enemigos. La tercera sección perfila las exigencias de una vida piadosa, sobre todo las limosnas, las oraciones y el ayuno, mientras que la cuarta anima a la gente para que confíe en Dios. El sermón termina con la parábola del hombre sabio que construye su casa sobre la roca, para ilustrar el poder de la creencia verdadera como cimiento para la vida

Arriba: El sermón de la montaña en un fresco de Florencia.
Fondo: La iglesia de las Beatitudes dominando el mar de Galilea.

Mapa: Posible localización del sermón de la montaña, entre Cafarnaum y Genesaret.
1. Primavera en Galilea.
2. Campos de flores en Galilea.

Gennesaret

Cafarnaum

Tiberías

Mar de
Galilea

Escena de Pascua tallada
en un capitel de piedra

El último viaje

J esús terminó su ministerio en Galilea
y se encaminó hacia Jerusalén, en lo
que sería su último viaje. El camino
que siguió para llegar allí no está claro, pues
los Evangelios dan diferentes versiones.
Mateo y Marcos sugieren que viajó por
Judea y que atravesó el Jordán en el distri-
to de Perea, que en esa época se encontraba bajo la jurisdicción de
Herodes Antipas. Lucas indica que Jesús siguió la ruta habitual de peregrinación hacia el sur desde Galilea y por Samaria, el mismo camino seguido por sus padres para ir hasta Belén antes del nacimiento de Jesús. Sea como fuere, esos tres evangelios coinciden en que
alcanzó Jericó antes de dirigirse finalmente a Jerusalén, a tiempo
para la Pascua, un importante momento de fiesta en el que miles de
peregrinos visitaban la ciudad para orar y celebrar.

La transfiguración

El acontecimiento que señala la transición desde el ministerio galileo
de Jesús hasta su viaje hacia la cruz fue la transfiguración. Jesús llevó a sus tres discípulos más cercanos, Pedro, Juan y Santiago, hasta
la «montaña alta». Allí se transfiguró en un ser de luz sobrenatural,

■ Al día siguiente el numeroso gentío que había
venido a la fiesta, al oír que Jesús iba
a su encuentro, cogió palmas y salió a
recibirle.

Juan 12, 12-13

cuya faz brillaba como si fuera el sol y al que se unieron dos grandes
figuras del pasado de Israel: Moisés, que representa a la Ley judía, y
Elías, que representa a los profetas de Israel. Elías también representa el triunfo divino sobre la muerte, dado que fue llevado directamente al cielo sin morir en este mundo. Entonces una voz surgió de
una nube: «Este es mi hijo bien amado; de quien me siento complacido. Escuchadlo». Palabras que recuerdan a las que se escucharon
cuando Jesús fue bautizado y que ya habían confirmado entonces
su carácter divino.

Los discípulos se aterrorizaron ante la visión, pero Jesús los confortó y les dio instrucciones de no mencionarle a nadie lo que había
pasado. Mientras bajaban de la montaña, Jesús les dijo a sus discípulos que el «Hijo del Hombre» –un título que utilizaba para referirse a sí mismo– pronto sufriría a manos de sus enemigos.

El monte de las Tentaciones
(izquierda) se encuentra en el páramo a
las afueras de Jerusalén. Según la
tradición fue aquí donde, al comienzo de
su ministerio, Jesús ayunó durante
40 días y 40 noches, resistiendo las
tentaciones del demonio. En su último
viaje volvió a pasar junto a él y es posible
que de nuevo sintiera la tentación; esta
vez la de escapar al terrible destino que le
esperaba en Jerusalén

Hacia Jerusalén

Consciente de lo que le esperaba, Jesús continuó su viaje hacia el sur,
predicando y enseñando a lo largo del camino. Expulsó a un demonio
del interior de un niño y en Perea le dijo a un hombre rico –para consternación de éste– que tenía que vender todo lo que poseía y darle el
resultado de la venta a los pobres. En Jericó le devolvió la vista a un
mendigo ciego, Bartimeo, como recompensa por su fe.

Desde Jericó Jesús viajó al suroeste hacia Jerusalén. Según se acer-
caba a la ciudad, envió a dos de sus discípulos delante para que con-

La puerta dorada se encuentra en el
muro oriental del monte del Templo. La
tradición cristiana dice que, el día del Juicio
Final, Jesús entrará en la Ciudad Sagrada
por esa puerta, motivo por el cual los
musulmanes le condenaron tras las
Cruzadas.

Río Jordán

Jericó

Jerusalén

Este mapa mosaico (derecha) fue
encontrado en 1896 en la iglesia
bizantina de san Jorge en la antigua
ciudad de Madaba, en Jordania. El
mapa data del 560 d.C. y está anotado
en griego con explicaciones y textos
bíblicos. Originalmente medía 22 por 7
metros, pero desde entonces el
vandalismo y los trabajos de
construcción lo han dañado. La parte
que se conserva, de 5 por 10 metros,
está formada por dos millones de
teselas y muestra Tierra Santa desde el
mar Negro hasta el Mediterráneo.

siguieran un burro (o potro) para que le estuviera esperando a su llegada. Jesús montó en el burro y cabalgó hacia la puerta de la ciudad. La gente salió de sus casas y abarrotó el camino para darle la bienvenida, gritando «Hosanna» y arrojando sus mantos y hojas de palma sobre la carretera.

Así, los Evangelios describen la llegada de Jesús a Jerusalén como el cumplimiento de las profecías del Antiguo Testamento respecto a un Mesías que llegaba triunfal hasta su pueblo. Sin embargo, la elección de un burro como montura, en vez de un caballo, indicaba que había venido como un Mesías pacífico y humilde, no como un Mesías guerrero, dispuesto a encabezar un alzamiento y expulsar a los romanos de la región, que era lo que la mayoría de los judíos esperaban y deseaban.

Aún así, la triunfante llegada de Jesús sirvió para avivar la llama de la esperanza en la ciudad, que ya estaba nerviosa con la emoción de la fiesta. Lo más ominoso fue que también puso nervioso a algunos de los patriarcas judíos, que cada vez se preocupaban más de la adulación que inspiraba Jesús.

Los montes Hermón y Tabor han sido identificados los dos como la «montaña alta» en donde tuvo lugar la transfiguración de Jesús. El monte Hermón (arriba a la izquierda) se encuentra a 45 kilómetros al noroeste del mar de Galilea y tiene una altura de 2.750 metros. El monte Tabor (arriba a la derecha) se yergue solitario en Yizrael, a unos 16 kilómetros al suroeste del mar de Galilea, con una altura de 411 metros. En la cima del monte Tabor se encuentra la iglesia de la Transfiguración, pero parece que es más probable que el monte Hermón fuera el lugar original, puesto que está más cerca de Betsaida-Julias, que es el último lugar cuyo nombre conocemos en donde se detuvo Jesús antes de su transfiguración.

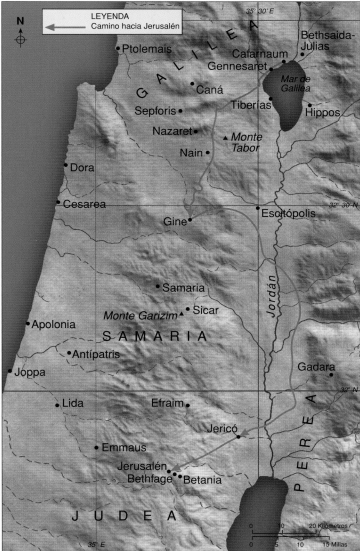

El camino hacia Jerusalén
Se desconoce el recorrido exacto del último viaje de Jesús. Este mapa se basa en los relatos de los Evangelios de Mateo y Marcos. Todas las fuentes concuerdan en que Jesús estuvo en Jericó antes de dirigirse a Jerusalén a tiempo para la fiesta de la Pascua.

Jerusalén en tiempos de Jesús

Una calle de la ciudad vieja de Jerusalén.

Situada en lo alto de las montañas centrales de Judea, la ciudad de Jerusalén entró por primera vez en la historia judía al ser capturada a los cananeos por el rey David, a comienzos del siglo X a.C. En tiempos de Jesús se había asentado firmemente como centro espiritual y político del mundo judío. Durante la Pascua y otras fiestas importantes era el objetivo de miles de peregrinos, que iban a ella para orar y realizar rituales en el Templo.

Durante el reinado de Herodes el Grande (37-4 a.C.), cuando Judea era parte del Imperio romano, gran parte de la ciudad fue reconstruida y embellecida con nuevos edificios, incluidos unos suntuosos baños, un anfiteatro y un hipódromo. Se reforzaron los muros de la ciudad y se construyó una magnífica fortaleza –llamada Antonia en honor del aliado de Herodes, el general Marco Antonio– en el rincón noroeste del monte del Templo. En la ciudad alta, en el lado oeste de Jerusalén, Herodes construyó un lujoso palacio nuevo.

Alejada de esas impresionantes estructuras cívicas, la mayoría de la población de Jerusalén –que se calcula en unas 250.000 personas– vivía en humildes casas de uno o dos pisos, edificadas en torno a patios y conectadas entre sí por calles estrechas y reviradas, más adecuadas para burros y mulas que para vehículos con ruedas. Las condiciones de salubridad eran mínimas, con cloacas en las calles que servían para los desechos tanto humanos como de otro tipo. El agua era cogida a mano de los depósitos públicos –como la piscina de Siloé y la piscina de las Ovejas, situada fuera de la ciudad– y llevada a las cisternas locales. Además de las pequeñas tiendas de artesanos especializados, como joyeros, zapateros y herreros, había varios mercados dos veces a la semana dedicados a dioses y productos concretos, incluidos la madera, la lana, las telas y los alimentos.

El Templo

La estructura más impresionante y sagrada de Jerusalén era el Templo, que Herodes comenzó a renovar y ampliar en torno al 20 a.C. Los trabajos de construcción continuaron hasta justo antes de la destrucción final del Templo por parte de los romanos en el 70 d.C. El Templo estaba construido en el emplazamiento de dos templos anteriores, en la cima de una gran colina artificial. Todo el conjunto –por entonces el mayor complejo religioso del mundo occidental– comprendía varios patios que rodeaban al santuario principal, dentro del cual se encontraba el Sanctasanctórum que albergaba el Arca de la Alianza. Los edificios estaban ricamente decorados con oro y bellas piedras. En su descripción del Templo, el historiador judío Flavio Josefo dice que, visto desde lejos, brilla igual que una montaña cubierta por la nieve.

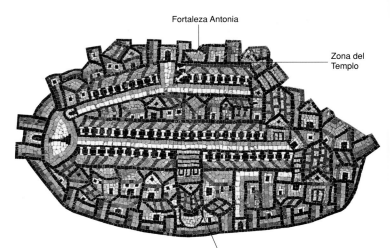

Un plano de Jerusalén en un mosaico bizantino conocido como el mapa Madaba. Esta representación bastante estilizada muestra el Templo, la fortaleza Antonia y el Gólgota, donde Jesús fue crucificado.

Fortaleza Antonia

Zona del Templo

Iglesia del Santo Sepulcro (Gólgota)

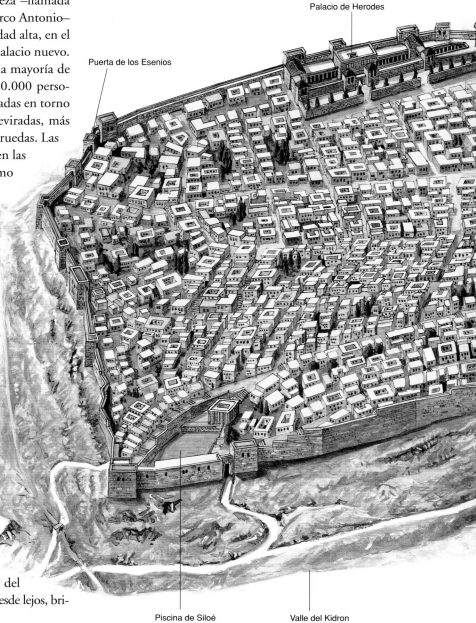

Palacio de Herodes

Puerta de los Esenios

Piscina de Siloé

Valle del Kidron

N

Palacio de Herodes

Complejo del Templo

Fortaleza Antonia

Ciudad Alta

Ciudad Baja

Piscina de Siloé

Picina de las Ovejas

Monte del Templo

El plano de Jerusalén (arriba) muestra el contorno probable de la ciudad en la época de la muerte de Jesús. El plano también incluye los principales proyectos urbanísticos

llevados a cabo por Herodes el Grande: su palacio, la fortaleza Antonia y el más ambicioso de todos, el Templo, que dominaba la ciudad.

El monte del Templo, el lugar donde se ubicaba el magnífico Templo de Herodes, en la actualidad se encuentra adornado por la Cúpula de la Roca, un santuario islámico que señala el lugar desde donde, según dice la tradición, el profeta Mahoma ascendió al cielo.

El muro occidental (abajo) es todo lo que queda de las murallas del Templo. Se conoce popularmente como el «Muro de las Lamentaciones», porque se dice que desde su destrucción es donde se han reunido los judíos para llorar.

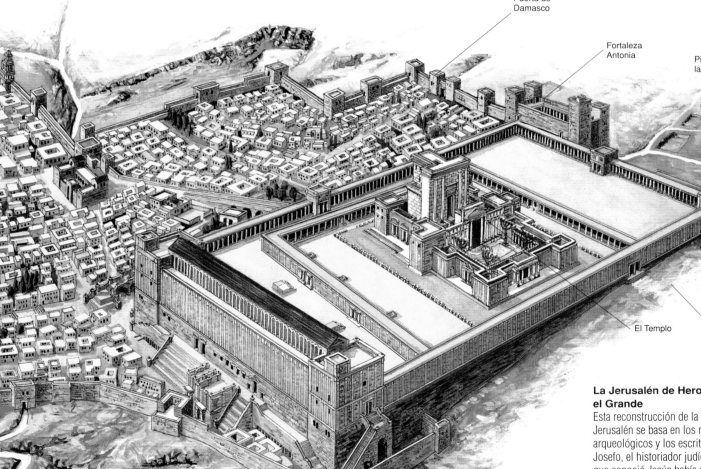

Puerta de Damasco

Fortaleza Antonia

Piscina de las Ovejas

El Templo

Monte del Templo

La Jerusalén de Herodes el Grande

Esta reconstrucción de la ciudad de Jerusalén se basa en los restos arqueológicos y los escritos de Flavio Josefo, el historiador judío. La ciudad que conoció Jesús había sido construida en gran parte por Herodes el Grande, nombrado rey de los judíos por sus señores romanos en el 37 a.C. Para congraciarse con la gente, molesta por la ocupación romana, Herodes se embarcó en un ambicioso programa constructivo y durante su gobierno Jerusalén prosperó. En época de Jesús, Jerusalén, dominada por el enorme Templo de Herodes, era una de las más impresionantes ciudades de la parte oriental del Imperio romano.

Moneda hebrea con una imagen de la entrada del Templo

Los últimos días en Jerusalén

Poco después de su triunfante entrada en Jerusalén, Jesús originó un tumulto en el Templo al expulsar por la fuerza a los vendedores de palomas y cambistas de moneda que actuaban allí, en el patio de los Gentiles.

Este edificio es donde se supone que tuvo lugar la Última Cena. Cuando los discípulos le preguntaron a Jesús dónde tendrían su cena de Pascua, Jesús les dijo que fueran a la ciudad, en donde encontrarían a un hombre con una jarra de agua. El hombre llevó a los discípulos a una casa en donde encontraron la habitación superior dispuesta para la cena. Fue entonces cuando Jesús avisó a sus discípulos de que uno de ellos lo traicionaría ante las autoridades judías.

El resultado fue que su notoriedad y el atractivo que tenía para la gente se difundieron con rapidez. La acción de Jesús, combinada con sus abiertas críticas a la clase dirigente religiosa, aumentó el resentimiento y el miedo que le tenían las principales autoridades judías. Como la controversia que rodeaba a Jesús no hacía más que aumentar, los grandes sacerdotes comenzaron a planear su caída.

Poco después del incidente del Templo, Jesús fue a Betania, muy cerca de Jerusalén, para visitar a un hombre llamado Simón el Leproso. Mientras se encontraba allí, una mujer anónima se acercó a él y ungió su cabeza con un caro perfume, haciendo que los demás invitados la acusaran de derrochar. Jesús, sin embargo, defendió la acción de la mujer: no estaba más que preparándole para su enterramiento, como una abierta referencia a su inminente destino.

■ [...] ¡Ay de aquél por quien el Hijo del Hombre es entregado! ¡Le era mejor no haber nacido!

Marcos 14, 21

La Última Cena

Dos días después, Jesús y sus 12 discípulos se reunieron en la habitación superior de una casa de Jerusalén para la cena de Pascua. Sería la última comida que realizarían juntos. Antes de la cena Jesús lavó los pies de los discípulos para demostrar que todos los hombres eran iguales a los ojos de Dios. Mientras estaban comiendo y para su consternación, Jesús anunció que uno de ellos lo traicionaría. El culpable era Judas Iscariote, que en secreto había accedido a entregar a Jesús a las autoridades judías a cambio de 30 monedas de plata.

Tras anunciar la premonición, Jesús tomó pan, lo bendijo y luego lo partió y entregó los pedazos a sus discípulos, diciendo que era su cuerpo. Luego bendijo una copa de vino y la pasó alrededor para que todos bebieran de ella. Cuando todos lo hubieron hecho, afirmó que era la «sangre de la Alianza», que había sido derramada «para muchos». De este modo, Jesús estableció el ritual de la Eucaristía o la Sagrada Comunión, que permite a los creyentes compartir su muerte sacrificial. La Eucaristía también les permite compartir una nueva relación con Dios, que ya no se basa en la Ley dada a los israelitas, sino en una nueva Ley establecida por el amor de Dios a toda la humanidad.

Una vez terminada la cena, Jesús y sus discípulos cruzaron la ciudad para llegar a la ciudad de Getsemaní, en el monte de los Olivos, un lugar al este de Jerusalén en donde iban a menudo a orar y descansar. Allí, en la quietud del olivar, Jesús pasaría sus últimas horas.

La limpieza del Templo

Poco después de la triunfante entrada de Jesús en Jerusalén, éste fue al Templo y expulsó a la gente que comerciaba allí. Luego derribó las mesas de los cambistas y vendedores de palomas (derecha). Las autoridades consideraban que esos comerciantes eran esenciales para dirigir el Templo. Las palomas se necesitaban para los sacrificios, mientras que los cambistas convertían las monedas normales en la moneda del Templo, con la cual se pedía a los judíos que compraran los animales del sacrificio y pagaran el impuesto anual del Templo. Aunque esos mercaderes actuaban legalmente, la dramática acción de Jesús pretendió ser una protesta contra la atmósfera materialista y comercial que sus actividades habían creado en el Templo, algo que Jesús consideraba completamente inapropiado para un lugar de oración y adoración. Es posible que Jesús también estuviera enfadado por el hecho de que personas que no eran judías no pudieran adorar en el patio de los Gentiles, la única parte del Templo donde les estaba permitido entrar. También tuvo que ver con la misión de Jesús, según lo dicho por los profetas del Antiguo Testamento, de llevar la salvación tanto a judíos como gentiles, de modo que todos pudieran adorar en el Templo, juntos y sin distinciones.

La Última Cena

La comida final compartida por Jesús y sus discípulos ha servido durante siglos de inspiración para los artistas. En esta pintura mural del siglo XII, procedente del monasterio de Asinuo, en la isla de Chipre, Jesús aparece sentado a la izquierda, coronado por un halo. El hombre canoso de la derecha es Simón Pedro, mientras que Judas Iscariote probablemente sea la figura que se inclina sobre la mesa con el brazo extendido.

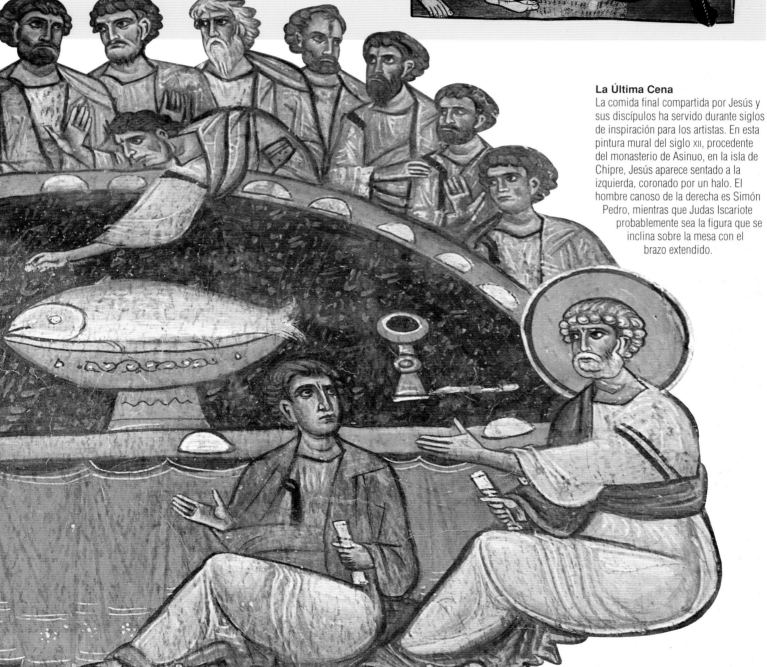

El juicio de Jesús

Grabado de una menorá, un candelabro judío, símbolo de la paz.

Tras su arresto en Getsemaní, Jesús fue llevado ante el Sanedrín –el consejo gobernador judío–, en la casa de Caifás, el Gran Sacerdote. Los líderes religiosos de Jerusalén se habían ido asustando cada vez más ante la posibilidad de que las enseñanzas de Jesús socavaran su autoridad. También temían que su popularidad entre el pueblo incrementara el malestar generalizado del mismo, añadiendo un elemento más de tensión entre ellos y los romanos.

Se convocó a muchos testigos falsos para que declararan contra Jesús, pero sus deposiciones eran contradictorias. Hicieron acusaciones sin sentido, afirmando, por ejemplo, que Jesús había dicho

■ Así es que Pilatos cogió a Jesús y mandó azotarlo. Y los soldados, trenzando una corona de espinas, se la pusieron en la cabeza [...].

Juan 19, 1-2

que destruiría el Templo y lo reconstruiría en tres días, mal interpretando una referencia realizada por éste respecto a su muerte y resurrección. A lo largo de todo el proceso, Jesús permaneció callado. Entonces Caifás le preguntó directamente si era Cristo. Según Marcos, en ese momento Jesús replicó: «Lo soy»; si bien según los relatos de Mateo y Lucas su respuesta fue ambigua. A Caifás le bastó para acusar a Jesús de blasfemia. Al darse cuenta de que no podría hacer nada sin autorización romana, el Sanedrín llevó a Jesús ante Poncio Pilatos, el procurador romano.

Jesús ante Pilatos y Herodes

El Sanedrín no tenía capacidad para imponer una pena de muerte, ni siquiera por blasfemia. Para asegurarse de que Jesús resultaba ejecutado, tuvieron que convencer a Pilatos de que Jesús era culpable de traición, que era un delito capital según la ley romana. Pilatos escuchó mientras los principales sacerdotes acusaban a Jesús y se sorprendió al ver que éste no respondía. En todos los Evangelios se puede ver que Pilatos no quedó convencido de la culpabilidad de Jesús. En la versión de Lucas, al oír Poncio Pilatos que Jesús era de Galilea, que quedaba bajo la jurisdicción del rey Herodes Antipas, vasallo de Roma, se lo envió para que diera su opinión sobre el caso. Cuando Herodes interrogó a Jesús también fue incapaz de encontrar ninguna prueba sólida contra él, a pesar de las vehementes acusaciones de los principales sacerdotes. Después de burlarse y ridiculizarlo, Herodes envió a Jesús de vuelta a Pilatos.

Según los Evangelios, Pilatos se mostró reticente a condenar a Jesús y, en un intento final por evitar dar un veredicto, ofreció públicamente liberarlo como el acto de buena voluntad que era costumbre tuviera lugar en la fiesta de la Pascua. Sin embargo, la muchedumbre reunida fuera del cuartel general de Poncio Pilatos le pidió que en vez de a Jesús liberara a otro prisionero: Barrabás. Este hombre, que probablemente fuera un celota –un luchador por la independencia judía–, había sido encarcelado como sospechoso de insurrección y asesinato. Temiendo un motín si no satisfacía el deseo de la muchedumbre, Pilatos liberó con reticencia a Barrabás. Luego, lavándose simbólicamente las manos en el asunto, dio órdenes para que Jesús fuera azotado y llevado a crucificar.

El patio de los Gentiles era la única parte del Templo abierta a los no judíos. Esta inscripción, una de las muchas que hay en el Templo, avisaba a todos los que no fueran judíos para que no se aventuraran más lejos.

Patio exterior

Porche Real

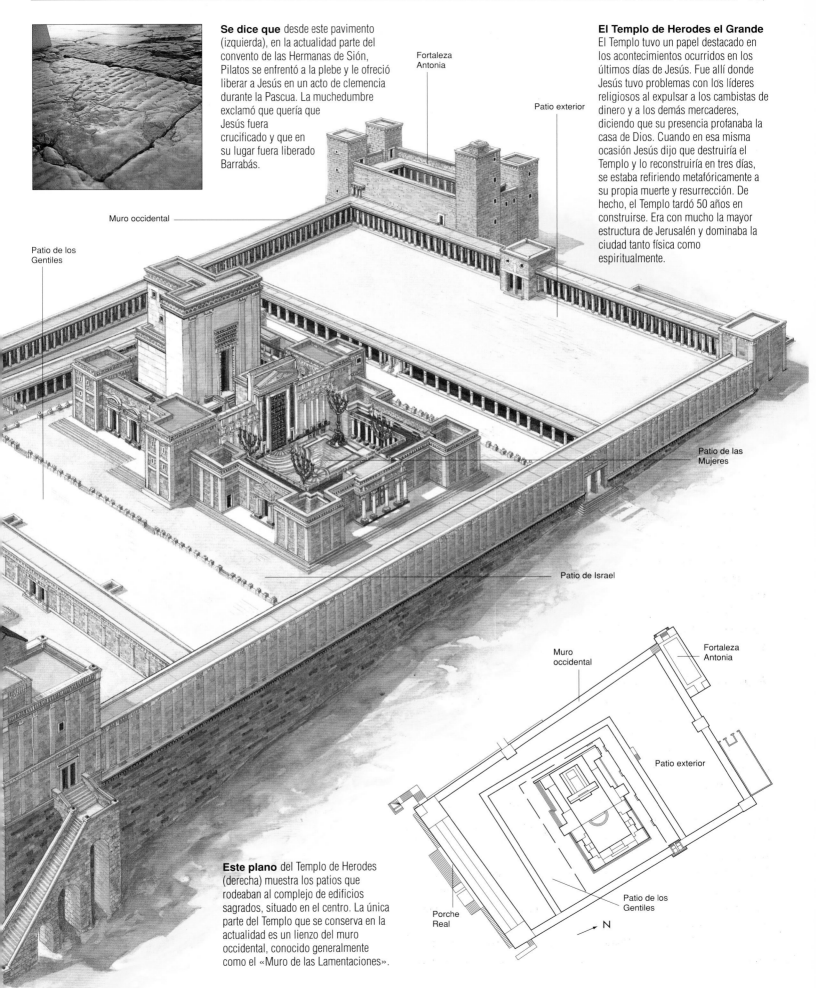

Se dice que desde este pavimento (izquierda), en la actualidad parte del convento de las Hermanas de Sión, Pilatos se enfrentó a la plebe y le ofreció liberar a Jesús en un acto de clemencia durante la Pascua. La muchedumbre exclamó que quería que Jesús fuera crucificado y que en su lugar fuera liberado Barrabás.

Fortaleza Antonia

Patio exterior

El Templo de Herodes el Grande
El Templo tuvo un papel destacado en los acontecimientos ocurridos en los últimos días de Jesús. Fue allí donde Jesús tuvo problemas con los líderes religiosos al expulsar a los cambistas de dinero y a los demás mercaderes, diciendo que su presencia profanaba la casa de Dios. Cuando en esa misma ocasión Jesús dijo que destruiría el Templo y lo reconstruiría en tres días, se estaba refiriendo metafóricamente a su propia muerte y resurrección. De hecho, el Templo tardó 50 años en construirse. Era con mucho la mayor estructura de Jerusalén y dominaba la ciudad tanto física como espiritualmente.

Muro occidental

Patio de los Gentiles

Patio de las Mujeres

Patio de Israel

Muro occidental

Fortaleza Antonia

Patio exterior

Este plano del Templo de Herodes (derecha) muestra los patios que rodeaban al complejo de edificios sagrados, situado en el centro. La única parte del Templo que se conserva en la actualidad es un lienzo del muro occidental, conocido generalmente como el «Muro de las Lamentaciones».

Porche Real

Patio de los Gentiles

N

La Vía Dolorosa

Jesús es ayudado por Simón de Cirene.

Después de ser sentenciado a muerte por Poncio Pilatos, Jesús fue puesto bajo custodia de legionarios romanos y flagelado por ellos, que se mofaron de él vistiéndolo con un manto púrpura, poniéndole una corona de espinas sobre su cabeza y saludándole como «rey de los judíos».

Aunque se encontraba tremendamente debilitado por los azotes, Jesús fue obligado a cargar el pesado madero que formaría la barra horizontal de su cruz y recorrer con él la calle que conducía fuera de los muros de la ciudad, hasta el Gólgota, el lugar en donde normalmente los criminales eran ejecutados.

El camino de Jesús hasta el Gólgota no se puede reproducir en la actualidad, pero durante el siglo XIII los cruzados cristianos que ocuparon Jerusalén establecieron una posible ruta. Ésta lleva desde la fortaleza Antonia, en la zona occidental, por las calles hasta la iglesia del Santo Sepulcro, que se creía se había construido en la colina del Gólgota. Producto de la piedad más que de la historia, terminó siendo conocida como la «Vía Dolorosa».

La Vía Dolorosa

Mientras Jesús se tambaleaba dolorosamente camino del lugar donde tendría lugar su ejecución, el Gólgota, se produjeron algunos incidentes que posteriormente se conmemoraron en las 14 Estaciones de la Cruz, que aparecen numeradas en la ilustración de Jerusalén que se ve bajo estas líneas. Algunos incidentes aparecen mencionados en los Evangelios, pero otros derivan de tradiciones piadosas.

1. Jesús es condenado en la fortaleza Antonia a ser crucificado. **2.** Jesús coge su cruz después de ser azotado por los soldados. **3.** Debilitado por los azotes, Jesús cae por primera vez. **4.** Jesús se encuentra con su madre, María. **5.** Jesús es ayudado a llevar la cruz por Simón de Cirene. **6.** Verónica seca el sudor y la frente de la cara de Jesús. **7.** Jesús cae por segunda vez. **8.** Jesús consuela a las mujeres de Jerusalén. **9.** Jesús cae bajo su carga por tercera vez. **10.** Al llegar al Gólgota Jesús es desprovisto de sus ropas. **11.** Jesús es clavado a la cruz y situado entre dos ladrones. **12.** Jesús muere. **13.** Jesús es descendido de la cruz y puesto en brazos de su madre. **14.** El cuerpo de Jesús es depositado en la tumba de José de Arimatea y una pesada roca es colocada ante la entrada de la misma.

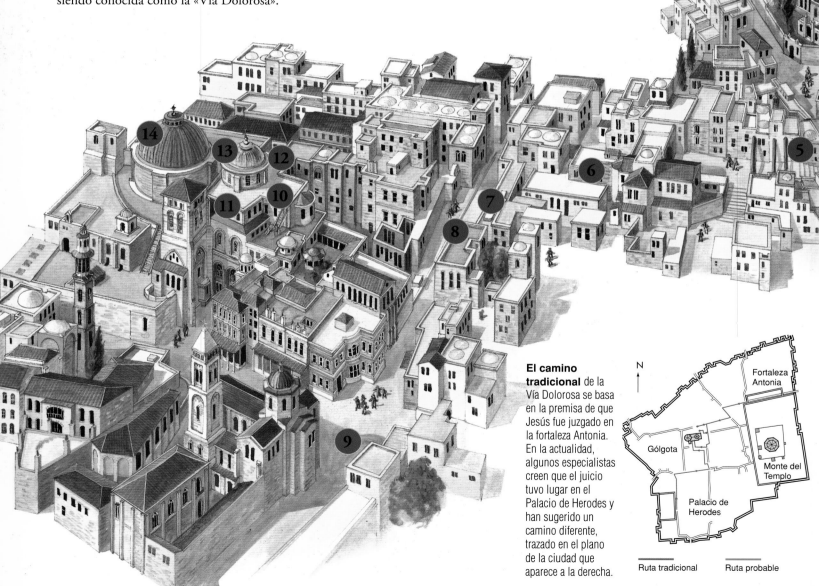

El camino tradicional de la Vía Dolorosa se basa en la premisa de que Jesús fue juzgado en la fortaleza Antonia. En la actualidad, algunos especialistas creen que el juicio tuvo lugar en el Palacio de Herodes y han sugerido un camino diferente, trazado en el plano de la ciudad que aparece a la derecha.

N

Fortaleza Antonia

Gólgota

Monte del Templo

Palacio de Herodes

Ruta tradicional   Ruta probable

Este relieve de piedra sobre la entrada de la iglesia católica armenia del Espasmo representa la cuarta estación. Es el momento en que Jesús se encuentra a su madre, María, un acontecimiento que no es mencionado por ninguno de los evangelistas. Por tradición, cumple la profecía de Simeón que, al encontrarse con la Sagrada Familia poco después del nacimiento de Jesús, predijo que le causaría a María una gran pena.

La puerta de San Esteban se encuentra situada en el extremo oriental de la ciudad, pasada la fortaleza Antonia. También era conocida como la puerta de los Leones, por los dos felinos que tenía grabados a cada lado del arco.

El monasterio de la Flagelación se encuentra situado cerca de la fortaleza Antonia. Señala el comienzo de la Vía Dolorosa, que en la actualidad recorren miles de peregrinos.

Las numerosas calles que conducen fuera de la Vía Dolorosa probablemente han cambiado poco su apariencia desde la época de Cristo, a pesar de las frecuentes reconstrucciones de Jerusalén a lo largo de los siglos.

El arco del Ecce Homo es identificado en la tradición cristiana como el lugar en donde Pilatos mostró Jesús a los judíos con las palabras «Mirad al hombre». La tercera estación de la cruz se encuentra bajo el arco.

El Evangelio de Juan menciona que el juicio de Pilatos a Jesús tuvo lugar en el «asiento del juez en un lugar conocido como el Pavimento de Piedra». Se dice que ese pavimento forma parte en la actualidad del convento de las Hermanas de Sión.

Un relieve de piedra marca la tercera estación de la cruz. Si bien el acontecimiento no aparece recogido en los Evangelios, la tradición popular sostiene que Jesús cayó aquí por tercera vez, cansado por el peso de su carga.

La octava estación de la cruz aparece marcada en una piedra grabada con la letras «NIKA», que significan «Jesucristo conquista». Fue aquí donde Jesús consoló a las mujeres de Jerusalén.

La iglesia del Santo Sepulcro se dice que fue construida sobre el Gólgota –donde Jesús fue crucificado– y sobre su tumba. Las cinco estaciones finales de la cruz se encuentran dentro de la iglesia.

Jesús carga con su cruz, según un manuscrito del siglo XIV.

La crucifixión

Jesús fue llevado desde el palacio de Pilatos hasta el Gólgota, «el lugar de la calavera», y ejecutado mediante la crucifixión, el castigo más duro de la Ley romana. Eran las nueve de la mañana cuando Jesús fue alzado en la cruz entre dos ladrones convictos que también estaban siendo crucificados. Mientras los soldados realizaban su trabajo, Jesús le rogó a Dios que los perdonara, diciendo que no se daban cuanta de lo que estaban haciendo. Entonces los soldados se repartieron entre ellos las ropas de Jesús, echando a suerte el último ropaje. En las cruces fijaron carteles que mencionaban los delitos de cada uno. En el caso de Jesús ponía «Rey de los judíos».

Mientras Jesús colgaba de la cruz, sufriendo un atroz dolor físico y mental, algunos de sus adversarios y de los que pasaban por allí se

> ■ Y cuando llegaron al sitio llamado «Calavera», lo crucificaron allí, a él y a los criminales [...]
>
> Lucas 23, 33

burlaban de él diciéndole que se salvara a sí mismo si de verdad era el verdadero hijo de Dios. Incluso uno de los ladrones que colgaba junto a él se unió a los insultos, si bien el otro le reprendió por ello, recordándole que Jesús no había cometido ningún crimen.

La muerte de Jesús

A mediodía, la oscuridad cayó sobre la tierra y así permaneció durante tres horas. Según Juan, durante esas horas la agonía de Jesús en la cruz fue vista por su madre, su tía y María Magdalena, así como por uno de sus discípulos, probablemente Juan. Jesús le habló a su madre y al discípulo, exhortándolos a cuidarse el uno al otro. Lucas dice que Jesús también confortó al buen ladrón, que rogó a Jesús que se acordara de él en el cielo.

Según se aproximaba el momento del final de sus sufrimientos, Mateo y Marcos dicen que Jesús exclamó *«Eoli, Eloi, lama Sabacthani?»*, que significa «Dios mío, Dios mío, ¿por qué me has abandonado?». Marcos y Juan llegan incluso a decir que al oírlo, uno de los viandantes se apresuró a acercarse con una esponja empapada en vinagre que alzó hasta los labios de Jesús para que bebiera. Según Juan, Jesús murmuró entonces sus últimas palabras —«se ha terminado»— y murió. En ese momento la cortina del Templo que separaba el Sanctasanctórum del resto del santuario se rasgó en dos, la tierra tembló y las rocas se rajaron. Mateo dice además que las tumbas se abrieron y los cuerpos de los santos volvieron a la vida. Era justo después de las tres en punto de la tarde.

Jesús estuvo colgado de la cruz sólo seis horas. Las víctimas de la crucifixión podían tardar en morir dos o más días y los soldados se sorprendieron de que muriera tan deprisa. Juan nos informa de que uno de ello incluso atravesó su costado con una lanza para comprobar si de verdad estaba muerto y que de la herida manó una mezcla de agua y sangre. Mateo termina diciendo que los soldados romanos y el oficial que habían estado vigilando a Jesús quedaron convencidos tanto por sus palabras como por su modo de morir de que Jesús era el verdadero Hijo de Dios.

El enterramiento

Tras la muerte de Jesús, un hombre rico llamado José de Arimatea, que era miembro del consejo judío, el Sanedrín, pero que también había sido en secreto seguidor de Jesús, le pidió permiso a Poncio Pilatos para enterrar a éste en su propia tumba. Pilatos se lo concedió y José bajó el cuerpo y lo vendó con lino. Juan menciona que fue ayudado por otro miembro del sanedrín, Nicodemo, que había visitado en secreto a Jesús mientras éste enseñaba. Nicodemo trajo perfumes para ungir el cuerpo y José lo colocó en la tumba, probablemente recién excavada en la roca. Esos acontecimientos fueron vistos por la doliente madre de Jesús y, según dice Lucas, por varias mujeres más. Luego observaron desde la distancia cómo José hacía rodar una gran piedra delante de la entrada para sellar la tumba.

Poncio Pilatos

En época de Jesús, la provincia romana de Judea quedó al cargo del procurador Poncio Pilatos. Nombrado por el emperador Tiberio en el 26 d.C., Pilatos ocupó el cargo durante diez años. Las monedas de arriba fueron acuñadas durante su gobierno. Pilatos no era una figura popular. No sólo representaba la autoridad de Roma, sino que también se mostraba desdeñoso respecto a los derechos y costumbres de los judíos, además de disfrutar utilizando métodos violentos para mantener a sus súbditos bajo control. Se conoce poco sobre Pilatos, pero al haber conseguido el cargo de procurador, es posible que procediera de una buena familia. Los Evangelios le conceden un cierto crédito por su oposición a la hora de condenar a Jesús, si bien sus motivos no están claros y las pruebas contra Jesús eran muy débiles. En cualquier caso, a pesar del acto simbólico de Pilatos de lavarse las manos de la sangre de Jesús, su aquiescencia final a la presión de la muchedumbre —posiblemente para evitar malestar entre sus súbditos— significa que gran parte de la responsabilidad por la muerte de Jesús recae todavía en él.

La crucifixión de Cristo es quizá la más importante de las imágenes del cristianismo. El crucifijo pintado de la izquierda es obra del italiano «Maestro de san Francisco», que estuvo activo en torno a 1260-1270. Según la fe cristiana, la muerte de Jesús señala la culminación de su misión en la Tierra, su sacrificio definitivo para redimir los pecados de la humanidad y abrir el camino a la salvación. También cumple la profecía de Isaías, en el Antiguo Testamento, de que el Mesías sería un sufrido servidor de Dios y un hombre, más que un rey glorioso.

La tumba excavada en la roca (abajo), sellada con una piedra redonda, es similar a aquella en donde se colocó el cuerpo de Jesús. En su época, los hombres ricos hacían construir sus tumbas antes de morir, por eso pudo José de Arimatea ofrecer su tumba para el entierro de Jesús. Con el intenso calor de la zona, era esencial que los cuerpos se enterraran rápidamente, puesto que la descomposición comenzaba enseguida. El Evangelio de Juan hace referencia a ello en su descripción de la resurrección de Lázaro, cuando Marta avisa a Jesús del «mal olor», pues Lázaro ya llevaba muerto cuatro días.

Una truculenta reliquia de una antigua crucifixión, este hueso de talón atravesado por un clavo fue encontrado en un vaso funerario en Jerusalén. Por lo general las víctimas eran clavadas a la cruz por las muñecas y tobillos. Los clavos a través de la palma de la mano no habrían soportado el peso, a menos que los brazos hubieran estado atados a la cruz. A menudo, las piernas de las víctimas se rompían. La muerte llegaba al fin por asfixia y agotamiento.

La resurrección

Mural bizantino que representa a Cristo resucitado.

Tres días después de la muerte de Jesús, María Magdalena fue a su tumba, posiblemente para ungir su cuerpo con especias. Los evangelios difieren en los detalles que dan sobre los acontecimientos de esa mañana. Mateo, Marcos y Lucas, por ejemplo, dicen que María iba a acompañada por otras mujeres, mientras que Juan comenta que estaba sola. Todos coinciden, sin embargo, en un detalle crucial: la piedra que sellaba la entrada de la tumba había sido puesta a un lado y el cuerpo de Jesús había desaparecido.

Según Mateo, un ángel le dijo a María y sus compañeras que Jesús se había levantado de entre los muertos y que lo encontrarían en Galilea. Marcos describe al ángel como un hombre con una túnica blanca, mientras que Lucas dice que había dos ángeles, cuyas túnicas brillaban como con luz. El relato de Juan es bastante diferente: dice que María se encontró con una figura que pensó que era el jardinero. El hombre le preguntó por qué estaba llorando; luego, para consolarla, la llamo por su nombre. Sorprendida, se dio cuenta de repente de que era Jesús.

Encuentros en Galilea

Tras su resurrección de entre los muertos, Jesús se apareció varias veces a sus discípulos. No obstante, la forma en que lo hizo no se conoce con seguridad. El Evangelio de Marcos implica que Jesús era capaz de aparecerse y desvanecerse a voluntad y de forma sobrenatural y cuando María Magdalena intentó tocarlo, Jesús no se

> ■ Y encontraron corrida la piedra del sepulcro, pero cuando entraron no encontraron el cuerpo del señor Jesús.
>
> Lucas 24, 2-3

lo permitió, diciéndole que todavía no había regresado a su Padre. Lucas hace hincapié en que Jesús estaba hecho de carne y hueso y que no era un fantasma. Del mismo modo, Juan cuenta el modo en que Jesús invitó a su escéptico discípulo, Tomás, a tocar sus heridas para acabar con cualquier posible duda sobre su realidad física.

Tanto Lucas como Juan hablan de otras apariciones. En un episodio, Lucas describe cómo dos discípulos iban camino de la ciudad de Emaús, a corta distancia de Jerusalén, cuando Jesús se unió a ellos por el camino. Sin embargo, los dos hombres no reconocieron que su nuevo compañero era Jesús hasta después, cuando los bendijo y les repartió pan durante la cena. En ese momento se dieron cuenta de quién era su compañero, pero justo entonces Jesús desapareció de su vista.

Juan describe una aparición posterior de Jesús. Según su Evangelio, Pedro y seis compañeros estaban pescando sin éxito en el mar de Galilea. Una misteriosa figura les gritó desde la orilla que lanzaran sus redes por el lado derecho de su barca. Lo hicieron y se sorprendieron al encontrar sus redes repletas de peces. Los discípulos se dieron cuenta entonces de que la misteriosa figura era Jesús y Pedro se apresuró a la orilla para saludarlo. Según Juan, esa fue la tercera vez que Jesús se le apareció a sus discípulos tras vencer a la muerte.

Jesús instruye a sus discípulos

Aparte de demostrarles que había resucitado, Jesús se apareció a sus discípulos para instruirlos sobre sus futuros deberes. Les ordenó que fueran y predicaran sus enseñanzas por el mundo. A Pedro se le encargó una responsabilidad aún mayor: el liderazgo de los discípulos así como del cada vez mayor número de seguidores de Jesús.

Finalmente Jesús dejó a sus discípulos siendo elevado milagrosamente al cielo –un acontecimiento conocido como la Ascensión–. Lucas describe cómo Jesús se apareció a sus discípulos una última vez, los bendijo y fue conducido al cielo. Sin embargo, Jesús permaneció en espíritu con sus discípulos, pues Marco añade que recibieron signos de que el Señor estaba trabajando con ellos.

Jesús sale de la tumba (arriba) mientras los soldados que la guardan duermen. Los soldados fueron colocados allí por orden de Pilatos a petición de los grandes sacerdotes judíos, que temían que el cuerpo de Jesús fuera robado por sus discípulos para que pareciera que cumplía su promesa de volver de entre los muertos el tercer día.

La resurrección de Jesús mantiene la promesa tanto de la resurrección como de la vida eterna para los creyentes. Este mosaico de una iglesia bizantina del siglo XI representa a Cristo resucitado extendiendo su mano para ayudar a un hombre a salir de su tumba el día del Juicio Final.

Los pescadores del mar de Galilea (izquierda) todavía realizan su trabajo igual que en tiempos de Pedro y Andrés, los primeros discípulos de Jesús, a los que llamaba los «pescadores de hombres». El mosaico bizantino (extremo izquierda) representa a Jesús con pescadores. Después de su resurrección, Jesús se apareció a algunos de sus discípulos mientras pescaban sin éxito. Los llamó desde la orilla y les dijo dónde tenían que lanzar sus redes. Siguieron sus instrucciones y cogieron muchos peces.

Menorás judías talladas en una columna de Corinto.

Pentecostés

Hacia el final de su Evangelio, Lucas cuenta cómo Jesús aseguró a sus discípulos que su muerte y resurrección cumplían antiguas profecías. Esas profecías también decían que el arrepentimiento y el perdón de los pecados habían de ser predicados en nombre de Jesús en todas las naciones. Luego Jesús les dio instrucciones a sus discípulos para que permanecieran en Jerusalén tras su muerte, donde recibirían poderes por parte del Espíritu Santo para difundir el Evangelio. El Espíritu Santo aparece de nuevo mencionado en los Hechos de los Apóstoles, donde se dice que Jesús les dijo a los discípulos que pronto recibirían el bautismo, no con agua, sino con el Espíritu.

> ■ Y se les dejaron ver unas lenguas como de fuego, que se iban repartiendo y se posaron sobre cada uno de ellos.
>
> Hechos 2, 3

Casi dos meses después de la muerte de Jesús, en la fiesta judía de Pentecostés, que conmemora la entrega a Moisés de las Tablas de la Ley en el monte Sinaí, los discípulos estaban reunidos en una casa de Jerusalén cuando escucharon un fuerte viento. Al mirarse vieron cómo lenguas de fuego oscilaban sobre sus cabezas y de inmediato quedaron llenos del Espíritu Santo y «comenzaron a hablar en otras lenguas».

Muchos judíos y conversos gentiles de diferentes partes del Imperio romano se encontraban en Jerusalén para esa fiesta. Alarmados por el ruido del viento, fueron a ver a los discípulos y se quedaron sorprendidos al escucharlos hablar en todas las lenguas que hablaban las personas allí reunidas.

La muchedumbre se quedó desconcertada y se preguntó qué significaba eso; algunos dijeron incluso que los discípulos estaban borrachos. Pedro se dirigió entonces a la masa y en un inspirado discurso les dijo que esos extraños acontecimientos habían sido previstos por el profeta Joel. Les recordó que Jesús había sido muerto a pesar de las pruebas de los milagros, maravillas y signos que demostraban que era el Hijo de Dios. Pedro concluyó asegurándoles que Jesús se había levantado de entre los muertos y recibido el Espíritu Santo, pero también implicó a los judíos en el origen de la muerte de Jesús.

Conmovidos por las palabras de Pedro, muchos rogaron saber cómo podían corregir su faltas. Pedro les dijo que se arrepintieran y bautizaran, y en ese mismo momento unos tres mil de ellos se convirtieron a la fe. Ese día los discípulos recibieron del Espíritu Santo el poder de predicar el Evangelio, tal y como Jesús había prometido.

El Templo de Zeus en Cirene traiciona los orígenes griegos de la ciudad, situada en la costa del norte de África. Cirene era una próspera metrópoli con una amplia población judía. Había algunos de ellos entre la muchedumbre a la que se dirigieron los discípulos llenos del Espíritu Santo, hablándole a cada uno en su lengua natal.

ITALIA (Italia)
Roma
N
Mar Mediterr
Cirene
CIRENAICA
AEG (Eg
Nilo

0 100 200 300 Kilómetros
0 75 100 150 200 Millas

Peregrinos de Pentecostés

La fiesta judía de Pentecostés, conocida también como la Fiesta de las Semanas, tiene lugar 50 días después de la Pascua. Era el momento del año en que los peregrinos judíos iban a Jerusalén desde todo el Oriente Próximo y Medio —de hecho, en tiempos de Jesús llegaban de todos los rincones del Imperio romano— para adorar en el Templo. Fue en esa fiesta cuando los apóstoles recibieron el Espíritu Santo y comenzaron a hablarle a la muchedumbre de peregrinos de Pentecostés. Este mapa representa los centros principales desde donde llegaban los judíos y las rutas de peregrinación que seguían para llegar a Jerusalén.

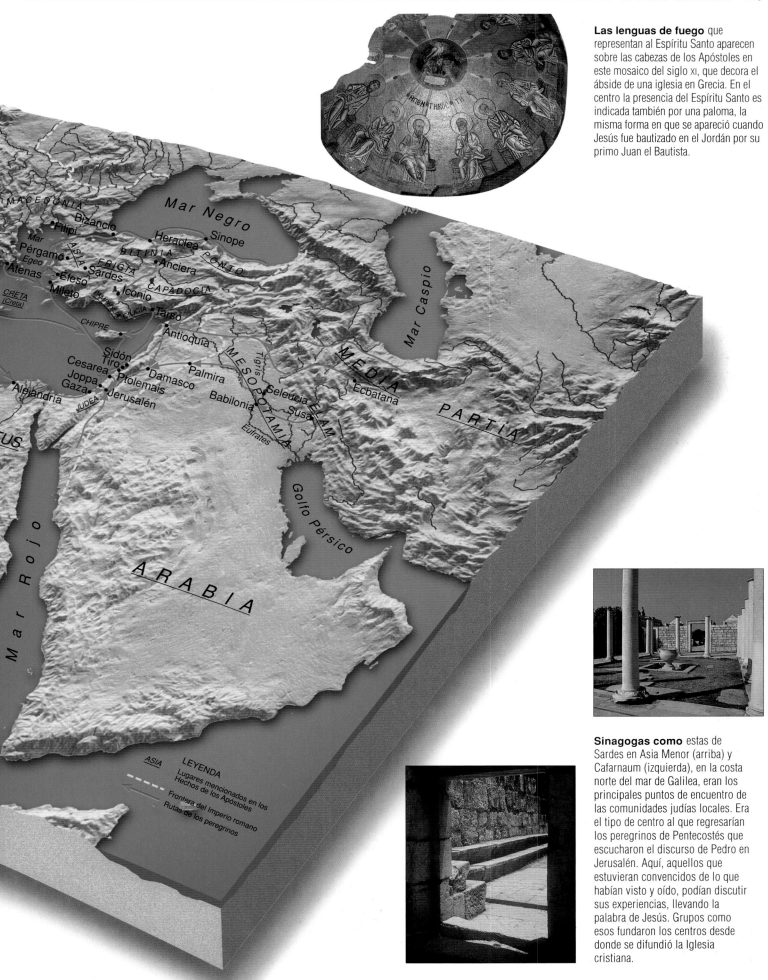

Las lenguas de fuego que representan al Espíritu Santo aparecen sobre las cabezas de los Apóstoles en este mosaico del siglo XI, que decora el ábside de una iglesia en Grecia. En el centro la presencia del Espíritu Santo es indicada también por una paloma, la misma forma en que se apareció cuando Jesús fue bautizado en el Jordán por su primo Juan el Bautista.

MACEDONIA
Bizancio
Filipi
Mar Negro
Sinope
Heraclea
Mar
Pérgamo
ASIA
BITINIA
PONTO
Egeo
FRIGIA
Anciera
Atenas
Éfeso
Sardes
CAPADOCIA
Mileto
Iconio
CRETA
PANFILIA
CILICIA
Tarso
(Creta)
CHIPRE
Antioquía
Mar Caspio
Sidón
MESOPOTAMIA
Cesarea
Tiro
Tigris
MEDIA
Joppa
Ptolemais
Damasco
Palmira
Seleucia
ELAM
PARTIA
Gaza
Susa
Ecbatana
Alejandría
JUDEA
Jerusalén
Babilonia
TUS
Éufrates

Golfo Pérsico

Mar Rojo

A R A B I A

LEYENDA
ASIA
Lugares mencionados en los
Hechos de los Apóstoles
Frontera del Imperio romano
Rutas de los peregrinos

Sinagogas como estas de Sardes en Asia Menor (arriba) y Cafarnaum (izquierda), en la costa norte del mar de Galilea, eran los principales puntos de encuentro de las comunidades judías locales. Era el tipo de centro al que regresarían los peregrinos de Pentecostés que escucharon el discurso de Pedro en Jerusalén. Aquí, aquellos que estuvieran convencidos de lo que habían visto y oído, podían discutir sus experiencias, llevando la palabra de Jesús. Grupos como esos fundaron los centros desde donde se difundió la Iglesia cristiana.

Uno de los leones grabados en la puerta de san Esteban en Jerusalén.

En el camino a Damasco

Uno de los acontecimientos más significativos en la evolución de la Iglesia católica fue la conversión de Saúl –posteriormente conocido por su nombre romano, Pablo– a la fe cristiana. Se transformaría en un incansable y decidido promotor de la palabra de Jesús, difundiéndola por ese mundo de gentiles que era el Imperio romano. Resulta paradójico que antes de su conversión Saúl fuera un devoto de la Ley judía y un ferviente perseguidor de los primeros cristianos, a los que consideraba una amenaza para el judaísmo. Su primera aparición en la Biblia es como un transeúnte presente en la lapidación del discípulo Esteban, condenado por blasfemia por los judíos. Saúl actuó contra los seguidores de Cristo en Jerusalén. El fatídico viaje a Damasco que le llevó a la conversión lo hizo con la intención expresa de arrestar a los cristianos que vivían allí.

■ Y cayendo a tierra oyó una voz que le decía: «Saúl, Saúl, ¿por qué me persigues?»

Hechos 9, 4

Saúl comenzó el largo viaje que iba desde el norte de Jerusalén hasta Damasco y cuando estaba cerca de su destino quedó deslumbrado por una luz brillante. Cayó al suelo y escuchó la voz de Jesús preguntándole por qué lo perseguía. Jesús le dijo luego a Saúl que se levantara, continuara su viaje hasta Damasco y allí esperara instrucciones. Saúl descubrió que se había quedado ciego y tuvo que ser conducido a la ciudad, donde lo alojó un hombre llamado Judas que vivía en la calle Recta. Allí permaneció Saúl, confuso, asustado y ciego, sin comer ni beber.

El bautismo de Pablo

Tres días después, un cristiano llamado Ananías recibió órdenes de Dios de ir por Saúl y bendecirlo. En ese instante «algo como escamas» cayó de los ojos de Saúl y éste recuperó la vista. Luego fue bautizado en la iglesia y de inmediato comenzó a predicar el Evangelio en las sinagogas de Damasco. Sin embargo, su audaz estilo le valió el antagonismo de algunos de los judíos de la ciudad. Planearon matarlo y estuvieron vigilando sobre las puertas de la ciudad para sorprenderlo cuando la abandonara. Sin embargo, los amigos de Saúl los sacaron de Damasco dentro

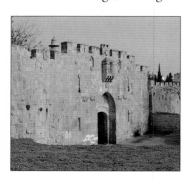

La puerta de san Esteban, o «puerta de los Leones» (izquierda), forma parte del muro oriental de Jerusalén. Según una tradición medieval tardía, fue ante esa puerta donde el discípulo Esteban fue llevado para ser lapidado. La Biblia dice que Saúl vio la ejecución de Esteban con satisfacción, cuidando de las ropas de aquellos que estaban tomando parte en la lapidación.

Damasco es una de las ciudades más antiguas del mundo habitada de continuo y fue fundada en un oasis alimentado por dos ríos, conocidos en la Biblia como el Abana y el Parfar. La ciudad actual conserva muchos restos del asentamiento amurallado que era en época de Saúl; todavía existe una calle Recta (izquierda). Saúl se alojó allí a su llegada a la ciudad.

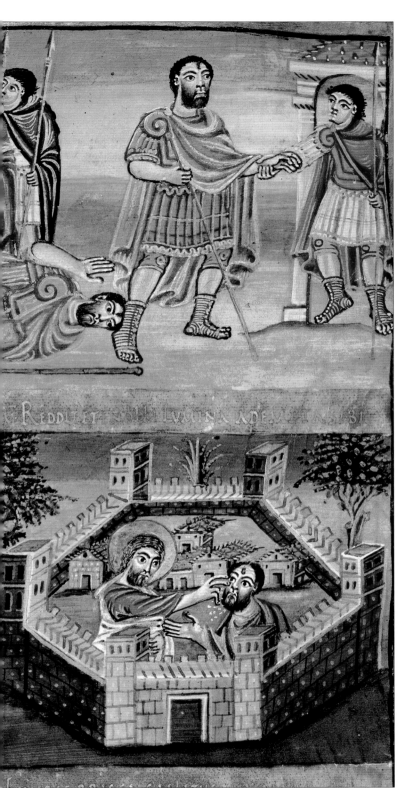

de una cesta descolgándolo por una abertura en el muro de la ciudad; así fue como pudo escapar sin ser visto, apresurándose a ir a Jerusalén.

Al principio los discípulos se mostraron escépticos respecto a la conversión de Saúl, pero no tardaron en quedar convencidos de su sinceridad. Saúl permaneció en Jerusalén predicando hasta que las amenazas contra su vida le obligaron a trasladarse a Tarso. Entonces, junto a su compañero Bernabé, fue a la ciudad siria de Antioquía. Allí permaneció durante un año, creando un grupo cristiano. Saúl, ahora conocido como Pablo, estaba listo al fin para llevar la fe a los gentiles del Imperio romano.

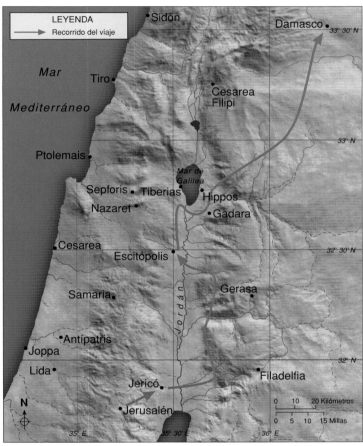

El viaje de Saúl a Damasco

La narración bíblica del viaje de Saúl desde Jerusalén hasta Damasco carece de detalles, pero el mapa muestra el camino más probable y las ciudades por las que pudo haber pasado. Saúl casi había terminado su viaje cuando fue golpeado y dejado ciego por una luz procedente del cielo. Una vez que recuperó la vista permaneció en Damasco difundiendo la palabra de Dios.

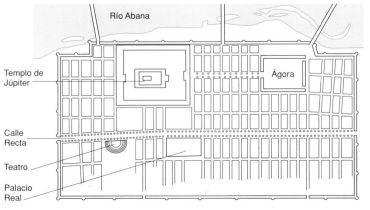

Este manuscrito del siglo IX (arriba) representa la historia de la conversión de Saúl. En la esquina superior izquierda, de camino hacia Damasco Saúl es dejado ciego por una fuerte luz. Es conducido a casa de Judas, en Damasco, donde durante tres días no comió ni bebió. En un sueño, Ananías recibió instrucciones de Dios para que fuera a visitar a Saúl (abajo a la izquierda). Ananías lo bendijo (abajo a la derecha) y le devolvió la vista.

La antigua ciudad de Damasco que pudo haber conocido Saúl (derecha) tenía planta ortogonal, típica del diseño grecorromano. El plano muestra dos calles principales paralelas. Una va desde el ágora (el mercado) hasta el Templo de Júpiter. La otra, llamada calle Recta, pasar por el teatro y el antiguo Palacio Real, que era la residencia del gobernador romano en época de Pablo.

Los viajes misioneros de Pablo

El retrato de Pablo en un manuscrito.

Hombre de fino intelecto, espíritu indomable y energía inacabable, Pablo realizó tres largos viajes misioneros –así como un último viaje como prisionero a Roma– llevando el Evangelio al corazón del mundo grecorromano. Pablo fue capaz de exponer el caso del cristianismo a los judíos porque él mismo era judío. Al mismo tiempo, tuvo éxito al predicar a los gentiles porque había nacido siendo ciudadano romano y crecido en la cosmopolita ciudad de Tarso, en Asia Menor, donde había gentes de muchas religiones.

Pablo viajó grandes distancias en sus misiones, tanto en barco como a pie. El Mediterráneo había sido limpiado de piratas el siglo anterior y proporcionaba un acceso relativamente rápido y fácil a la mayor parte del Imperio. Una vez en tierra, Pablo utilizaba la excelente red de caminos romana que conectaba entre sí las zonas más alejadas del Imperio.

El primer viaje de Pablo le llevó desde Antioquía, en Siria, hasta Chipre y Pisidia, en Asia Menor. Luego se dirigió hacia el este, hacia Listra –donde fue apedreado por una muchedumbre hostil– y Derbe, antes de regresar a Antioquía.

En su segundo viaje, Pablo pisó Europa por primera vez, predicando en las ciudades griegas de Tesalónica, Atenas y Corinto. Su tercer viaje incluyó una estancia de más de dos años en Éfeso, Asia Menor. Esta ciudad era uno de los centros más importantes de adoración a la diosa pagana Artemisa y, estando allí, Pablo se libró de ser linchado por una turba enfadada.

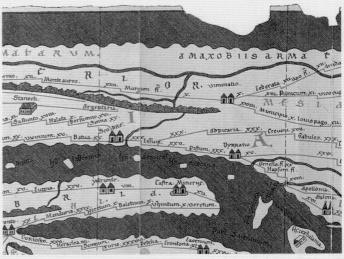

Una red de caminos

El conocido dicho «Todos los caminos llevan a Roma» queda demostrado gráficamente en el mapa Peutinger (arriba), una copia del siglo XIII de un original romano tardío. La red romana de caminos pavimentados tenía más de 88.500 kilómetros de longitud y Pablo viajó a lo largo de varios tramos de la misma mientras recorría el Imperio predicando el Evangelio.

Desde Éfeso, Pablo viajó hasta Jerusalén, en donde fue arrestado por las autoridades romanas. Su juicio fue transferido a Roma, donde continuó predicando el Evangelio hasta su muerte, durante el reinado del emperador Nerón.

Las misiones de Pablo tuvieron mucho éxito. Realizó numerosas conversiones y probablemente hiciera más que cualquier otro apóstol por difundir la nueva fe por todo el Imperio Romano.

Pablo probablemente entró en Roma por la Vía Apia, la carretera principal hacia la ciudad desde el sur. La Vía Apia es un ejemplo de la mejor técnica constructiva romana. La superficie estaba diseñada para secarse rápidamente y así permanecer transitable para el paso de un ejército con cualquier clima.

Los romanos eran los amos sin discusión del mundo mediterráneo cuando Pablo llevó a cabo sus viajes misioneros. Sus habilidades técnicas les permitieron construir estupendas carreteras pavimentadas, capaces de ser utilizadas por un carro tirado por caballos al galope (abajo); pero a los romanos también les gustaban los espectáculos sangrientos como las luchas de gladiadores, en las que unos hombres luchaban por su vida delante de un numeroso público. A la derecha se puede ver un casco de bronce perfectamente conservado utilizado por uno de esos gladiadores.

Los viajes de Pablo
Entre el 46 d.C. y el 54 d.C., Pablo realizó tres viajes por el Mediterráneo oriental. Su viaje final comenzó probablemente a finales del 58 d.C. y le llevó a Roma para ser juzgado delante del emperador.

LEYENDA
1er viaje de Pablo
2º viaje de Pablo
3er viaje de Pablo - 1ª etapa
3er viaje de Pablo - 2ª etapa
3er viaje de Pablo - 3ª etapa
4º viaje de Pablo

El primer viaje de Pablo

Grabado romano de un barco de transporte, típico de la época de Pablo.

LEYENDA
1er viaje de Pablo

El primer viaje misionero de Pablo comenzó en Antioquía, en Siria, donde él y Bernabé, un converso chipriota, construyeron la iglesia local. Guiados por el Espíritu Santo, Pablo, acompañado por Bernabé y Juan Marcos, el probable autor del segundo Evangelio, se hicieron a la mar hacia Chipre. Tras desembarcar en Salamina, Pablo y sus compañeros viajaron hacia Pafos, en el suroeste de la isla. Allí se entrevistaron con Sergio Pablo, el gobernador romano de la isla, que se mostró interesado en sus enseñanzas. Pero uno de los miembros del séquito de Sergio, Bar-Jesús, un «falso profeta», dificultó los esfuerzos de Pablo y Bernabé, probablemente porque temía que si el gobernador se convertía al cristianismo perdería su favor. Pablo, henchido por el Espíritu Santo, contrarrestó sus esfuerzos, regañó a Bar-Jesús e hice que se quedara ciego temporalmente, una acción que impresionó tanto a Sergio que de inmediato se convirtió en creyente.

> ■ Os predicamos que de todas estas vanidades os convirtáis al Dios vivo [...]
>
> Hechos 14, 15

Pablo y sus camaradas navegaron luego hacia Perga, donde Juan Marco los dejó para regresar a Jerusalén. Pablo y Bernabé continuaron hasta Antioquía de Pisidia, donde Pablo predicó a la comunidad judía local y a gentiles favorables a ello. Pablo dijo que la promesa de Dios de un Mesías se había cumplido con Jesús y que los pecados de la gente podían ser olvidados por medio de Jesús más que mediante la Ley judía.

Pablo es perseguido

El sermón de Pablo causó gran revuelo y un grupo de judíos se enfadó tanto que intentaron volver a su gente contra él. Pablo decidió entonces dirigir su mensaje a los gentiles. No obstante, los judíos se las arreglaron para convencer a algunos de los principales ciudadanos de Antioquía de que los dos misioneros eran unos alborotadores y de que había que expulsarlos de la ciudad.

Pablo y Bernabé tuvieron una experiencia similar en el siguiente puerto en el que desembarcaron, Iconio, en Galacia; temiendo por su seguridad, se apresuraron a llegar a Listra. Allí Pablo y Bernabé curaron a una lisiada, lo que hizo que las gentes del lugar creyeran que eran los dioses griegos Hermes y Zeus. Antes de que pudieran enseñar nada más, llegaron judíos hostiles desde Antioquía e Iconio y pusieron a los habitantes de Listra en su contra. Pablo fue lapidado y dado por muerto, pero se recuperó y huyó con Bernabé hasta Derba, donde terminaron su misión. Los dos hombres volvieron sobre sus pasos, fortaleciendo las comunidades cristianas que habían creado en Listra, Iconio y Antioquía de Pisidia.

El primer viaje de Pablo

Acompañado por el fiel Bernabé, en este primer viaje Pablo fue desde Siria hasta Chipre y luego a Pisidia y Galacia, en lo que hoy día es el Estado de Turquía. Pablo y Bernabé tuvieron mucho éxito difundiendo la palabra de Jesús, sobre todo entre los gentiles, o gentes que no profesaban la fe judía. No obstante, su enseñanza de que cualquiera podía encontrar la salvación por medio de Jesús enfadó a muchos judíos, que amenazaron sus vidas en más de una ocasión.

Salamina, en Chipre, fue el primer puerto en que recaló Pablo tras abandonar Siria. Salamina era una ciudad romana en ese momento y tenía un espléndido anfiteatro (a la izquierda en la fotografía aérea) y un gimnasio (a la derecha en la fotografía). Pablo y sus compañeros cruzaron Chipre hasta Pafos, en el suroeste, en donde convirtieron al gobernador romano, Sergio Pablo.

Los dioses de los habitantes de Listra

Cuando Pablo visitó Listra curó a una tullida, lo que llevó a la gente a creer que él y Bernabé eran los dioses griegos Hermes y Zeus. Los habitantes de Listra comenzaron a organizar un sacrificio en su honor, obligando a Pablo y Bernabé a negar con fuerza que fueran dioses en absoluto. En vez de ello les explicaron que traían noticias de un dios verdadero. Las deidades griegas eran muy diferentes en concepto del dios cristiano. En primer lugar había muchos de ellos, tanto dioses como diosas, encabezados por Zeus (a la izquierda), soberano de los dioses. Bernabé tuvo que impresionar mucho a las gentes de Listra para que estos lo relacionaran con esa poderosa figura. Pablo creyeron que era Hermes (a la derecha), el hijo de Zeus y mensajero de los dioses. Hermes también estaba asociado a la medicina, lo que quizá explique porqué Pablo fue identificado

con él tras curar a la tullida. Esos dos dioses griegos poseían grandes poderes, pero también eran falibles y presa de los deseos y debilidades típicos de los humanos. Al contrario que el dios cristiano, esas deidades no tenían nada que ofrecer a los humanos para su salvación.

Una torre de vigilancia en la ruinosa muralla de Perga (arriba). Pablo llegó a esta ciudad desde Chipre en torno al 47 d.C., y fue allí donde dio su primer sermón en Asia Menor. Juan Marcos, que había acompañado a Pablo y Bernabé desde Antioquía, en Siria, abandonó aquí a sus compañeros para regresar a Jerusalén.

El segundo viaje de Pablo

Monumento junto a la Vía Egnatia en Macedonia.

Pablo creó con éxito varios centros cristianos en su primer viaje misionero por Asia Menor. No queriendo dejarlas olvidadas, Pablo decidió visitar las nuevas iglesias junto a un discípulo llamado Silas. Dejaron Antioquía, en Siria, y viajaron hacia el oeste por tierra para llegar a Derba, Listra, Iconio y Antioquía de Pisidia; en Listra se les unió Timoteo, un nuevo converso. Guiados por el Espíritu Santo continuaron luego por Frigia hasta Toas, en el Egeo. Allí Pablo tuvo una visión de un hombre macedonio rogándole que fuera a ver a su pueblo. Pablo respondió de inmediato y el grupo se hizo a la mar cruzando el Egeo hasta Macedonia.

La misión en Grecia

Primero se dirigieron a la colonia romana de Filipi. Allí Pablo exorcizó a una esclava de un espíritu maligno que le permitía decir la buena fortuna. Esto enfureció a los dueños de la esclava, pues significaba que ya no podría seguir ganado dinero para ellos como vidente. Hicieron que Pablo y Silas fueran azotados y encarcelados. Esa noche un terremoto rompió sus cadenas, lo que sorprendió tanto a sus carceleros que de inmediato se convirtieron. El día siguiente los magistrados locales los liberaron y los escoltaron fuera de la ciudad.

> ■ [...] durante la noche se le dejó ver a Pablo una visión: un macedonio estaba de pie y suplicándole: «¡Pasa a Macedonia y ayúdanos!».
>
> Hechos 16, 9

Los misioneros tomaron la Vía Egnatia, que cruzaba Macedonia, y llegaron cerca de Tesalónica. El éxito inicial de Pablo fue contrarrestado por una feroz oposición judía, de modo que se fueron. En Beroa, Pablo encontró una audiencia receptiva, pero la llegada de judíos hostiles desde Tesalónica les obligó a partir de nuevo.

Pablo continuó solo hacia Atenas, habiendo instruido a sus compañeros para que le siguieran cuando pudieran. En Atenas, el gran centro intelectual del mundo antiguo, Pablo entró en un animado debate con un grupo de filósofos en el areópago; pero cuando mencionó la resurrección de Jesús fue recibido con desdén. Consternado por la respuesta y habiendo conseguido sólo un puñado de conversos, Pablo se marchó hacia Corinto.

Silas y Timoteo se reunieron allí con él y Pablo predicó en la sinagoga de la ciudad hasta que la hostilidad judía le expulsó. Imperterrito, Pablo permaneció en Corinto durante un año, predicando sobre todo a los gentiles antes de regresar a Antioquía vía Éfeso, Cesarea y Jerusalén. Anque al principio Pablo se descorazonó por su experiencia en Macedonia, su trabajo allí creó varios centros cristianos que atrajeron a muchos conversos, sobre todo entre los gentiles.

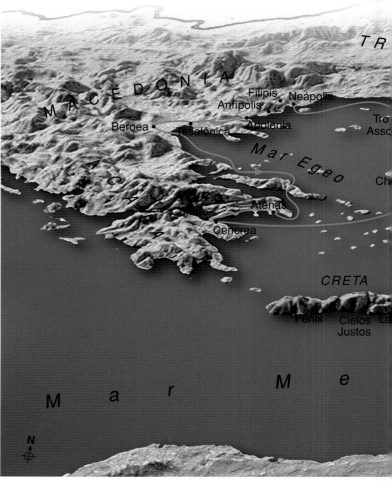

El segundo viaje de Pablo

El propósito original de Pablo al embarcarse en su segundo viaje misionero era fortalecer las iglesias que había creado en el primero. Comenzó siguiendo sus pasos, aventurándose a cruzar el Egeo para llegar a Europa en respuesta de una visión enviada por Dios. Aunque se encontró con una oposición severa y en ocasiones violenta por parte de las comunidades judías de Macedonia, Pablo consiguió introducir el cristianismo en todas las ciudades que visitó. El viaje de regreso por mar hasta Corinto tuvo una etapa en Éfeso, que también visitaría en su tercer viaje. Breves estancias en Cesarea y Jerusalén completaron su camino.

Antioquía de Pisidia, con su impresionante acueducto romano, quedó bajo control romano el 25 a.C. Es probable que fuera el último puerto conocido que visitó Pablo antes de lanzarse hacia el noroeste a través de Frigia y el Egeo.

Filipi, una colonia romana reducida ahora a ruinas, fue el primer destino de Pablo en Macedonia. A pesar de ser ciudadanos romanos, él y Silas fueron azotados y arrojados a una celda acusados falsamente de causar disturbios.

Corinto, cuyo templo de Apolo (izquierda) dominaba la ciudad, era uno de los grandes centros mercantiles de la antigua Grecia y conservó su importancia en tiempos de Roma. La poco amistosa recepción de los judíos de Corinto a Pablo llevó a éste a concentrar su mensaje en los gentiles. Esta política tuvo tanto éxito que Pablo pasó un año en la ciudad y fue capaz de crear una floreciente iglesia cristiana. Encontró conversos incluso entre los estratos superiores de la sociedad de Corinto. En su Epístola a los Romanos, Pablo menciona que el «director de obras públicas de Corinto» era un converso. Este bloque de pavimento de Corinto (debajo) lleva escrito *«Erastus Praedile»*, que se cree que fue ese director que hemos mencionado.

Al areópago de Atenas (arriba) se accede en la actualidad como en tiempos de Pablo, por una escalera de piedra. Se trata de una prominencia de poca altura cerca de la Acrópolis en donde en la Antigüedad un consejo de hombres sabios se reunía para discutir y juzgar nuevas ideas. Pablo fue llevado allí para mantener un debate formal con un grupo de filósofos. Los argumentos de Pablo tuvieron algún éxito hasta el momento en que mencionó la resurrección de Jesús, una idea que los griegos ridiculizaron. Pablo debió de sentirse desilusionado con Atenas, puesto que a la primera oportunidad abandonó la ciudad, si bien consiguió algunos conversos en el poco tiempo que pasó allí.

Patara, donde Pablo cambió de barco de regreso a casa.

El tercer viaje de Pablo

La tercera misión de Pablo para difundir la palabra de Jesús le llevó de vuelta a Éfeso, en el Asia Menor, una importante ciudad mercantil y centro de adoración de la diosa Artemisa (Diana para los romanos).

Pablo visitó Éfeso en su segundo viaje y prometió regresar. Viajó desde Antioquía vía Galacia y Frigia, visitando las iglesias que había creado en sus viajes anteriores. Pablo enseñó durante tres meses en la sinagoga de Éfeso, hasta que judíos hostiles molestos por sus enseñanzas y su participación en varios acontecimientos espirituales, le obligaron a dejarlo. En una ocasión, por ejemplo, bautizó en el nombre de Jesús a 12 cristianos bautizados antes por Juan el Bautista. De inmediato los llenó el Espíritu Santo y comenzaron a hablar en lenguas diferentes a las suyas. Posteriormente se encontró con un grupo de siete exorcistas judíos que, en el nombre de Jesús, intentaban expulsar a un espíritu maligno de un hombre poseído. El espíritu se negaba y los sorprendió al decir que reconocía la autoridad de Jesús y de Pablo, pero no la de los exorcistas judíos. Con ese tipo de acontecimientos asociados a él, la reputación de Pablo comenzó a extenderse.

■ No sólo en Éfeso, sino en casi toda la provincia de Asia, ese Pablo ha seducido a bastante gente [...]

Hechos 19, 26

Pablo deja Éfeso

La fama de Pablo no carecía de riesgos. Los plateros locales, dirigidos por Demetrio, se enfadaron con la postura de Pablo respecto a los ídolos, que estaba afectando a su comercio con las efigies para el templo de Artemisa. De modo que incitaron a una turba para que llevara a rastras hasta el teatro de la ciudad a dos de los hombres de Pablo, con la intención de juzgarlos. Preocupados por su seguridad, los amigos de Pablo le impidieron intervenir. Tras dos tensas horas, el escribano del ayuntamiento consiguió calmar la situación con la amenaza de que la ciudad tendría problemas si a las autoridades romanas llegaban noticias de un motín.

Después de eso, Pablo abandonó apresurado Éfeso para dirigirse a Macedonia y Grecia. En Troas se reunió con algunos de sus seguidores y allí fue donde revivió a un niño que había muerto al caer por una ventana. Pablo comenzó entonces su viaje de regreso, encontrándose en Mileto con los líderes de la iglesia de Éfeso para despedirse. Tras cambiar de barco en Patara, Pablo desembarcó en Tiro y viajó hacia Ptolemais y Cesarea. En Tiro el Espíritu Santo avisó a Pablo de que no debía ir a Jerusalén y en Cesarea un profeta llamado Agabus predijo que los enemigos judíos de Pablo en Jerusalén lo entregarían a los romanos. Pero Pablo desoyó esos augurios y se preparó para viajar a la ciudad de David, diciendo que estaba dispuesto a morir en nombre de Jesús.

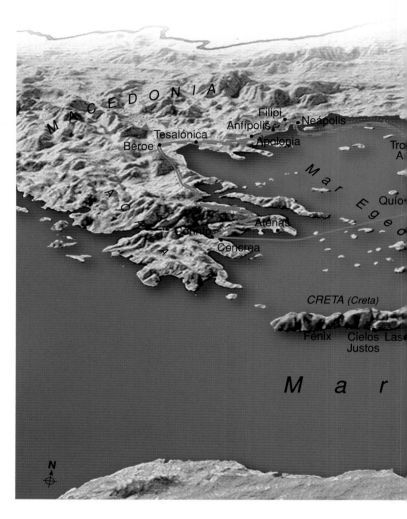

El tercer viaje de Pablo
Es probable que Pablo alcanzara Éfeso en el verano del 52 d.C. y permaneciera allí durante dos años. Durante ese tiempo, puede que también viajara a Corinto para arreglar los problemas de la iglesia de esa ciudad. Finalmente, abandonó Éfeso tras el motín de los plateros y se dirigió a Acaia a través de Macedonia y, posiblemente, el Illirico en el noroeste. Su viaje a casa le llevó por tierra a Troas y luego por barco a Tiro.

Las montañas del Tauro se encuentran al norte y oeste de Tarso, el lugar de nacimiento de Pablo y la ciudad más importante de la provincia romana de Cilicia. La única ruta comercial buena entre Asia Menor y Siria pasaba por una estrecha garganta en la montaña conocida como las Puertas Cilicias. Ése es el camino que tomó Pablo durante su segundo y tercer viajes al dirigirse hacia el oeste en dirección a la ciudad de Éfeso.

LEYENDA
3er viaje de Pablo - 1ª etapa
3er viaje de Pablo - 2ª etapa
3er viaje de Pablo - 3ª etapa

MISIA

FRIGIA

GALACIA

Dorilaeo

Antioquía de Pisidia

Iconio

PISIDIA

Listra

Pérgamo

Mitilene

PANFILIA

Derbe

CILICIA

Tarso

Antioquía en el Orontes

Laodicea

Colosos

Seleucia

Atalia

Perga

Orontes

Éfeso

Mileto

LICIA

SIRIA

FENICIA

Samos

Cos

Cnido

Rodas

Patara

Mira

CHIPRE

Salamina

Salmone

Pafos

Sidón

Tiro

Ptolemais

Damasco

Cesarea

Jordán

JUDEA

M e d i t e r r á n e o

Jerusalén

Mar Muerto

Alejandría

0   50   100   150   200 Kilómetros

0   50   100   150 Millas

AEGYPTUS
(EGIPTO)

Assos, en Asia Menor, era un importante puerto en época de Pablo. Se encuentra ligeramente al sur de Troas y su dique (arriba) data de la Antigüedad. Pablo se detuvo en Troas en el camino de regreso de su tercer viaje y allí predicó a un grupo de personas en una habitación situada escaleras arriba. Lo hizo durante tanto tiempo que un joven se quedó dormido, perdió el equilibrio y se cayó por la ventana matándose. No obstante, mediante un milagro, Pablo fue capaz de revivirlo. Luego Pablo viajó por tierra hasta Assos, donde se encontró con sus compañeros y continuó después su viaje por barco hasta Mitilene y Mileto, antes de cruzar el mediterráneo oriental hasta Tiro.

El puerto de Tiro, en Fenicia, es rico en restos romanos, como el hipódromo (arriba). Pablo visitó Tiro al final de su tercer viaje, permaneciendo allí con sus discípulos durante una semana. Mientras duró su estancia, el Espíritu Santo avisó a los discípulos de que un gran peligro esperaba a Pablo en Jerusalén, de modo que le pidieron que no fuera allí. Antes de dejar Tiro, Pablo llevó a la comunidad cristiana fuera de la ciudad, hasta la playa, donde se arrodillaron y rezaron con él. Luego se despidieron de él mientras subía a un barco camino de Ptolemais. Desde allí Pablo fue a Cesarea y, a pesar de los avisos, después se encaminó hacia Jerusalén.

Éfeso

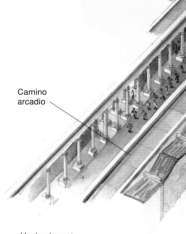

En su tercer viaje, la ciudad de Éfeso fue el centro principal de las enseñanzas de Pablo durante más de dos años. La ciudad se encontraba en la desembocadura del río Cayster, en la costa egea de Asia Menor, y fue fundada por emigrantes micénicos en el 1200 a.C. Éfeso creció en tamaño y prosperidad hasta llegar a convertirse en una de las ciudades más grandes del Imperio romano, con una población de cerca de un cuarto de millón de personas en su punto álgido.

Un motivo que explica la importancia de Éfeso era económico: con su protegido puerto, se convirtió en un gran centro mercantil entre Asia Menor y el resto del imperio mediterráneo de Roma. Otra razón era cultural: la población de la ciudad procedía de muchos lugares del Imperio y presumía de contar con una gran cantidad de centros de diversión, incluido un teatro con capacidad para 24.000 espectadores. Otros edificios públicos incluían una sala de reuniones y una biblioteca, dos mercados, baños, fuentes, gimnasios y un estadio.

La Artemisa de muchos pechos de Éfeso.

■ La ciudad de los efesios es la guardiana del santuario de la gran Artemisa y de la estatua bajada del cielo.

Hechos 19, 35

Artemisa y los efesios

Éfeso también tenía un gran significado religioso: era el centro de un importante culto a la diosa Artemisa (llamada Diana por los romanos). La Artemisa de Éfeso había adquirido muchos de los atributos de la antigua diosa madre del Oriente Próximo y Medio y su templo, construido en torno al 335 a.C., era una de las siete maravillas del mundo antiguo.

Éfeso también era un centro de practicantes de lo oculto, incluidos adivinos y astrólogos. Los peregrinos llegaban en masa a la ciudad trayendo con ellos mucha riqueza. El templo y el culto de Artemisa eran la base de muchos comercios e industrias locales, como la manufactura y venta de imágenes votivas de la diosa. Los dueños de tales comercios se oponían particularmente a las enseñanzas cristianas de Pablo, puesto que todo lo que socavara el culto a Artemisa también amenazaba sus intereses comerciales.

Puede que la concentración de cultos religiosos e intereses ocultos en Éfeso hicieran también que muchos de sus habitantes estuvieran predispuestos a escuchar el nuevo mensaje cristiano. Ciertamente, los esfuerzos de Pablo establecieron con firmeza la nueva religión en la mayoría de las ciudades paganas. Éfeso se convirtió al final en el principal centro de la cristiandad en todo el Asia Menor romana y siguió siendo una ciudad llena de vida hasta el siglo V d.C.

Sin embargo, los días de prosperidad de Éfeso estaban contados. El puerto estaba comenzando a colmatarse, lo que redujo el comercio naval. La economía de la población declinó firmemente desde finales de la época romana y en la actualidad Éfeso se encuentra en ruinas.

Éfeso en tiempos de Pablo

La estancia de dos años de duración de Pablo en Éfeso coincidió con un período de grandes cambios en la ciudad. La ciudad antigua, organizada en torno al templo de Artemisa, había sido abandonada unos 300 años antes y la construcción de la nueva ciudad estaba en pleno apogeo cuando Pablo llegó. El templo se encontraba a cierta distancia al noreste de la nueva ciudad y por lo tanto no aparece en el dibujo. Los trabajos duraron muchos años, por ejemplo, el teatro llevó cerca de 70 años terminarlo.

Camino arcadio

Hacia el puerto

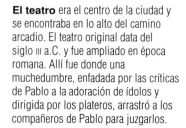

Esta huella, tallada en el pavimento de mármol de Éfeso, indica la entrada a un burdel. Las cosmopolitas ciudades de Asia Menor eran bien conocidas por su inmoralidad y su conspicua demostración de riqueza, lo que quizá hizo que el mensaje de perdón y salvación les resultara más atractivo.

El teatro era el centro de la ciudad y se encontraba en lo alto del camino arcadio. El teatro original data del siglo III a.C. y fue ampliado en época romana. Allí fue donde una muchedumbre, enfadada por las críticas de Pablo a la adoración de ídolos y dirigida por los plateros, arrastró a los compañeros de Pablo para juzgarlos.

La casa de la Virgen María, situada a las afueras de Éfeso, le debe su nombre a una antigua leyenda que dice que María fue llevada allí tras la crucifixión de Jesús y que fue allí donde vivió sus últimos años. La tradición dice también que el propio Juan vivió en Éfeso en su ancianidad y que fue allí donde escribió su Evangelio.

El camino arcadio (derecha) lleva desde el puerto directamente hasta el teatro, el punto focal de la nueva ciudad. Esta vía ceremonial estaba pavimentada con mármol y columnada a ambos lados. Fue construido originalmente en el año 1 a.C. y fue reconstruido posteriormente, contando incluso con iluminación nocturna en todo su recorrido.

Teatro

Ágora o
mercado

Casas (su reconstrucción se basa en
restos de otras ciudades
grecorromanas)

El plano de Éfeso (abajo) muestra la ciudad en el año 2 d.C., en una época en la que había crecido notablemente desde las visitas de Pablo. Por ejemplo, se había construido un nuevo e inmenso centro deportivo cerca del teatro. Las zonas en gris indican elementos o edificios que también aparecen en la reconstrucción de arriba.

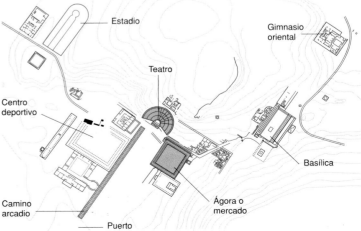

Estadio

Gimnasio
oriental

Teatro

Centro
deportivo

Basílica

Camino
arcadio

Ágora o
mercado

Puerto

Moneda con un retrato de Herodes Agripa II.

El arresto de Pablo

De regreso en Jerusalén tras su tercer viaje misionero, Pablo fue bienvenido por los miembros del consejo de la iglesia. No obstante, en una visita al Templo fue injustamente acusado por algunos judíos de haber llevado gentiles a la zona prohibida. En el subsiguiente tumulto, una muchedumbre atacó a Pablo e intentó matarlo. Al escuchar la conmoción, el comandante romano de la ciudad arrestó a Pablo. Estaba a punto de azotarlo e interrogarlo cuando supo que Pablo era ciudadano romano y, por lo tanto, legalmente inmune al castigo sin juicio. Entonces le preguntó al Sanedrín, el consejo Judío, que dejara claro qué es lo que Pablo había hecho mal. Al verse frente a los miembros del Sanedrín, Pablo des-

La fortaleza Antonia era el cuartel general de la guardia romana y es probable que Pablo fuera encarcelado allí tras su arresto por los romanos. La fortaleza había sido reconstruida por Herodes el Grande en el lugar donde se levantaba un antiguo fuerte, justo por fuera de la esquina noroccidental del Templo. Herodes le puso el nombre de su aliado Marco Antonio. No queda nada del edificio original; la reproducción que se ve en la fotografía forma parte de una maqueta de todo el Templo que se encuentra en Jerusalén.

> ■ No he cometido un pecado contra la ley de los judíos, ni contra el templo, ni contra el emperador.
>
> Hechos 25, 8

Soldados romanos como estos que aparecen en un mosaico romano estaban acantonados en Judea. Su presencia causaba mucho resentimiento, pero eran vitales para el mantenimiento de la paz en la provincia. Cuando fue atacado por la muchedumbre en el Templo, Pablo salvó su vida gracias a los soldados romanos, que lo arrestaron por orden de su comandante.

encadenó a propósito un conflicto entre los dos grupos principales del mismo, los saduceos y los fariseos, y el comandante romano tuvo que detener de nuevo a Pablo, por su propia seguridad.

Esa noche, en una visión, Dios le dijo a Pablo que de igual modo que había testificado en Jerusalén tendría que testificar en Roma. El día siguiente, el comandante escuchó rumores de una conjura judía para matar a Pablo, de modo que lo envió bajo escolta armada a Cesarea, el cuartel general de Antonio Félix, el gobernador romano de Judea. Félix escuchó el caso de Pablo después de que sus acusadores llegaran con Tertulio, un abogado. Pablo negó vehementemente los cargos de que había originado motines o profanado el Templo. Dijo que creía en la Ley judía, pero que también era un seguidor de «el Camino», es decir, las enseñanzas de Jesús. Había ido a Jerusalén, dijo, para llevar dinero a los cristianos pobres y negó haber obrado mal. Terminó desafiando a sus acusadores a exponer el crimen que había cometido, pero no pudieron hacerlo.

Pablo exige un juicio en Roma

Impresionado por las palabras de Pablo, Félix sobreseyó el caso, pero mantuvo a Pablo bajo arresto domiciliario durante dos años, esperando quizá un soborno. Cuando fue nombrado un nuevo gobernador, Porcio Festo, las autoridades judías renovaron sus acusaciones contra Pablo, pero sin probarlas. Pablo mantuvo su inocencia y luego hizo valer su derecho como ciudadano romano a ser juzgado en Roma delante del emperador. Pablo también fue interrogado por Herodes Agripa II, un rey local, y su hermana Berenice. Pablo habló de su vida y de su misión de hablarles a judíos y gentiles sobre Jesús. Sus palabras convencieron a Agripa de que era inocente de cualquier cargo y las autoridades romanas estuvieron de acuerdo en que podría haber quedado libre de no haber exigido ser juzgado delante del emperador.

El patio de los Gentiles era la única parte del Templo a la que podían entrar los no judíos. Avisos grabados en diferentes lenguas en losas de piedra prohibían la entrada a los patios interiores. El texto visible en este fragmento de una de esas losas (derecha) es parte de una inscripción en griego: «Ningún gentil puede entrar más allá del muro que divide el patio en torno al lugar sagrado; si es sorprendido, será responsable de su subsiguiente muerte».

Cesarea, cuartel general del gobernador provincial romano de Judea, fue construida por Herodes el Grande con estilo romano, con muchas estructuras impresionantes como este acueducto (arriba). Pablo fue conducido allí por una guardia armada para ser juzgado por el gobernador Antonio Félix.

El ciudadano romano

Al principio, Roma sólo consideraba como ciudadanos a sus habitantes nacidos libres. Al irse ampliando sus fronteras cada vez más lejos, Roma concedió la ciudadanía a personas que no habían nacido en Roma, como soldados reclutados en las provincias y a comunidades enteras, como recompensa por sus servicios o para conseguir su lealtad. A los nuevos ciudadanos se les daba un certificado de ciudadanía romana *(Diploma Civitatis Romanae)* que incluía sus nombres romanos y que podía ser utilizado como prueba de identidad en todo el Imperio. Un certificado similar llevaría un hombre nacido ciudadano romano, como Pablo, cuyo nombre romano «Paulus» probablemente fuera escogido por su similitud con Saúl. Un ciudadano tenía derecho a protección legal, incluido el de apelar contra una sentencia al propio emperador. Los mercaderes romanos, como los herreros representados en este relieve de piedra del siglo I d.C. procedente de Pompeya, recurrirían a un magistrado para obligar al cumplimiento de un contrato.

Cesarea

Vista aérea de los reconstruidos restos del teatro de Cesarea.

Construida por Herodes el Grande entre el 22 y el 10 a.C., la ciudad de Cesarea se convirtió en la sede del poder romano en Judea. Recibió su nombre del emperador César Augusto y tiene un papel importante en el Nuevo Testamento. Pablo pasó por Cesarea en varias ocasiones y fue mantenido allí bajo arresto domiciliario por el gobernador Félix antes de ser enviado a Roma para ser juzgado.

Herodes, el rey de Judea nombrado por los romanos, construyó la ciudad en el emplazamiento de un asentamiento fenicio del siglo III a.C. llamado la Torre de Estrato, del que se había apoderado el general romano Pompeyo en el 63 a.C. Octaviano –el futuro emperador Augusto– se la entregó a Herodes en el 30 a.C. y éste se dispuso a reconstruirla a lo grande. La estructura más impresionante de la ciudad era su puerto artificial, cuyos fuertes diques acogían barcos y, en gran medida, impedían que su puerto se colmatara. El puerto atrajo el comercio y la ciudad se convirtió en un importante punto de la tintura de púrpura, que en esa época era un proceso complejo y lucrativo.

Herodes embelleció la ciudad con varios edificios públicos y religiosos. Un templo dedicado a Augusto dominaba el puerto, mientras que un gran anfiteatro oval hacía lo propio con el mar, además de un palacio situado sobre un promontorio. Hacia el norte, un acueducto llevaba el agua desde las fuentes del monte Carmelo, a 21 kilómetros de distancia.

Herodes quiso que Cesarea mantuviera un carácter greco-sirio, pero la población judía de la ciudad exigía los mismos derechos civiles que sus conciudadanos gentiles. Esto creó tensiones y en el año 60 d.C. estalló un motín. Las quejas de los judíos fueron desestimadas por el emperador Nerón y un nuevo motín en el 66 d.C. llevó a una masacre de Judíos. Fue una de las chispas que encendió la gran rebelión judía. Mientras tanto, Cesarea se convirtió en el cuartel general del general Vespasiano, que fue proclamado emperador en el 69 d.C., mientras residía en la ciudad.

Rompeolas

Faro

Rompeolas

Puerto exterior

El puerto de Cesarea

Cesarea estaba situada en la costa mediterránea, a medio camino entre los puertos de Ptolemais y Joppa. Herodes el Grande se pasó 12 años construyendo el espléndido puerto nuevo de la ciudad, que también iba a servirle como cuartel general administrativo fuera de Jerusalén. La ciudad, con su impresionante puerto artificial, se convirtió posteriormente en la capital romana de Judea. Este mapa muestra la localización de Cesarea en relación a otras ciudades importantes de la región.

La Cesarea de Herodes

La ciudad marítima de Cesarea fue uno de los grandes proyectos del prolífico programa constructivo de Herodes el Grande. Al darle al primer verdadero puerto de mar del reino el nombre de «Cesarea», Herodes también intentaba halagar a su patrono romano, César Augusto. La ciudad era un asentamiento modelo. La calles estaban dispuestas ortogonalmente, con espléndidos edificios y un ingenioso sistema de alcantarillado bajo las calles, que se limpiaba con las mareas y las corrientes marinas.

Mapa:

N

LEYENDA
Frontera del reino de Herodes

35° 30' E

Tiro

Cesarea Filipi

Mar Mediterráneo

33° N

Ptolemais

GALILEA

Mar de Galilea

Hippos

Dor

D E C Á P O L I S

Cesarea

32° 30' N

Escitópolis

Plain of Sharon

Samaria

Monte Ebal

Monte Garizim

Jordán

Apolonia

SAMARIA

Antípatris

Joppa

32° N

Jamnia

Gazara

Jericó

Jerusalén

JUDEA

Mar Muerto

0   10   20 Kilómetros
0   5   10   15 Millas   35° E

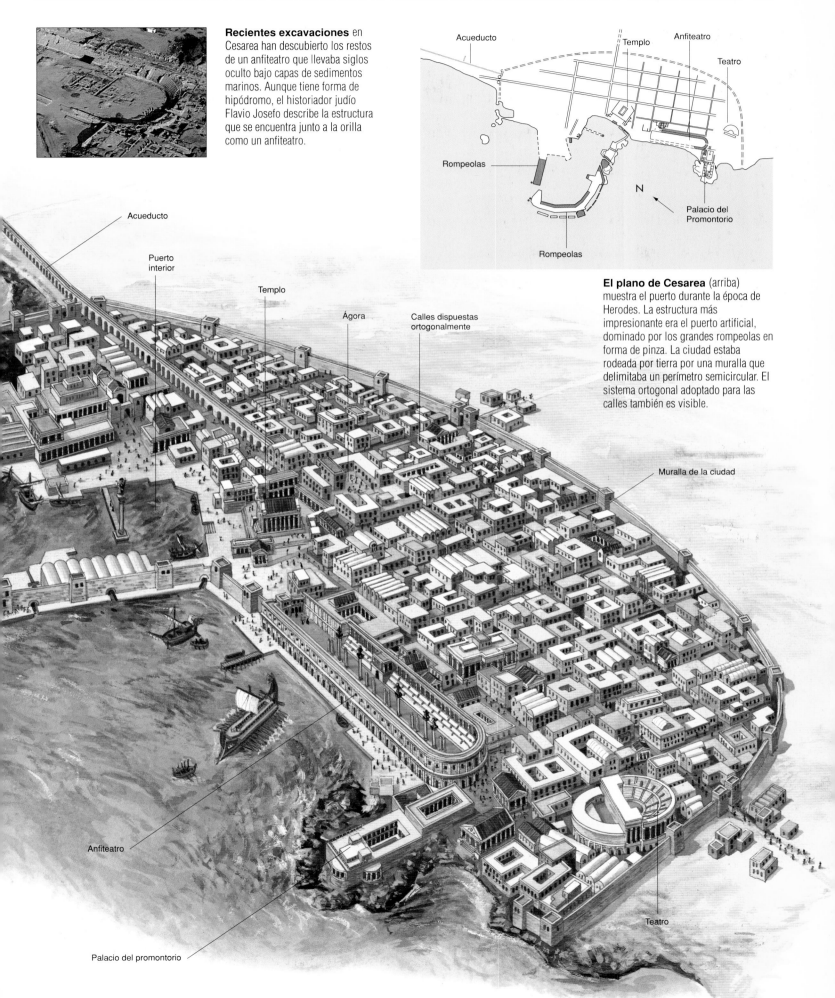

Recientes excavaciones en Cesarea han descubierto los restos de un anfiteatro que llevaba siglos oculto bajo capas de sedimentos marinos. Aunque tiene forma de hipódromo, el historiador judío Flavio Josefo describe la estructura que se encuentra junto a la orilla como un anfiteatro.

Acueducto

Templo

Anfiteatro

Teatro

Rompeolas

N

Palacio del Promontorio

Rompeolas

El plano de Cesarea (arriba) muestra el puerto durante la época de Herodes. La estructura más impresionante era el puerto artificial, dominado por los grandes rompeolas en forma de pinza. La ciudad estaba rodeada por tierra por una muralla que delimitaba un perímetro semicircular. El sistema ortogonal adoptado para las calles también es visible.

Acueducto

Puerto interior

Templo

Ágora

Calles dispuestas ortogonalmente

Muralla de la ciudad

Anfiteatro

Teatro

Palacio del promontorio

Las epístolas de Pablo

De las 21 epístolas o cartas del Nuevo Testamento, al menos siete son indiscutiblemente de Pablo y otras seis se le han atribuido. Algunas de esas cartas pueden haber sido escritas en una fecha tan temprana como el 50 d.C., lo que las convierte en los primeros textos cristianos, quizá anteriores en diez años al Evangelio de Marcos.

Como judío cosmopolita que era, Pablo escribió en griego, que era la lengua culta en el Imperio romano oriental. Algunas de sus cartas fueron escritas durante su encarcelamiento en Cesarea y en Roma; otras proceden de sus años en la carretera. Su segunda epístola a los corintios, por ejemplo, fue escrita durante su tercer viaje, probablemente en Filipi.

Por lo general, Pablo dictaba sus cartas a un secretario, en ocasiones añadiendo una postdata de su propia mano. Las epís-

tolas se habrían escrito sobre papiro, que se hacía cortando los tallos de la planta del papiro en tiras y luego golpeándolos hasta hacer con ellas delgadas hojas. Aunque los romanos poseían un eficiente servicio postal, estaba reservado a las cuestiones oficiales; los particulares tenían que ponerse de acuerdo con amigos o mercaderes para entregar la correspondencia.

Muchas de las cartas de Pablo tratan de problemas específicos de ciertas iglesias. Al escribir a los corintios, por ejemplo, Pablo trata de las relaciones sexuales, y a los gálatas les asegura que la circuncisión es irrelevante para los cristianos gentiles, enfatizando que el amor era más importante. En la epístola a los efesios, Pablo establece paralelos entre el amor de Cristo por su iglesia y las relaciones adecuadas entre las familias.

En otras de sus cartas, Pablo habla sobre cuestiones de teología que afectan a la Iglesia en general. Por ejemplo, cuando escribe a los creyentes de Roma y Éfeso, estudia la idea del poder redentor de la muerte sacrificial de Cristo, explicando el modo en que la gente se puede salvar de sus pecados con sólo la fe en Dios. Al igual que muchas de las ideas de Pablo, ésta tuvo una inmensa influencia en la naciente Iglesia.

Arriba: Texto griego del *Codex Sinaiticus*, el más antiguo manuscrito completo del Antiguo Testamento que se conoce.
Fondo: El foro y la Vía Sacra en Roma.
Mapa: Algunos de los lugares visitados por Pablo.

1. Cesarea, donde Pablo estuvo detenido durante dos años.
2. La prisión de san Pablo en Filipi, donde pudo haber estado preso.
3. Plantas de papiro.
4. Tintero romano.

Corinto
Atenas
Mar Egeo
Éfeso
Rodas

N

10 Kilómetros
6 Millas

3

4

Pablo, a la izquierda, delante del emperador Nerón, el cual está sentado a la derecha.

El cuarto viaje de Pablo

Pablo estuvo dos años en arresto domiciliario por orden del gobernador romano antes de ser enviado a Roma para ser juzgado delante del emperador. Marchó junto a un grupo de prisioneros, posiblemente acompañado por Lucas, el escritor del evangelio. Comenzaron su viaje en Cesarea, en un barco que recaló en varios puertos a lo largo del camino. Para cuando llegaron a Myra, en Asia Menor, ya estaba avanzado el año y el clima era amenazante. Aún así, fueron transferidos a un barco de carga y enviados a Roma.

Naufragio en Malta

Según avanzaban hacia el oeste el tiempo empeoraba. En el sur de Creta se encontraron con una fuerte tormenta y se refugiaron en el puerto de Fénix. Tanto la tripulación como los prisioneros temían por sus vidas, pero Pablo los consoló contándoles una visión que había tenido la noche antes, en la que un ángel le aseguró que aparecería delante del emperador y que Dios los protegería. Durante los siguientes 15 días el barco fue azotado por fuertes vientos y grandes olas. Finalmente, se acercaron a tierra –la isla de Malta–, pero el barco embarrancó en una barra de arena y comenzó a hundirse. Los soldados querían matar a los prisioneros para asegurarse de que ninguno se escapaba, pero mientras tanto llegaron a salvo a la orilla. Allí fueron recibidos amistosamente y Pablo curó al enfermo padre del gobernador romano de Malta, así como a otros que llegaron a él para ser sanados.

Pablo en Roma

Después de tres meses en Malta, Pablo y sus compañeros fueron subidos a otro carguero para continuar su viaje. Desembarcaron en Puteoli, cerca de Nápoles, donde Pablo pasó una semana como huésped de algunos cristianos de la ciudad, antes de viajar a Roma por tierra. Cuando Pablo entró en la ciudad fue recibido por una delegación de romanos cristianos.

Las autoridades pusieron a Pablo bajo arresto domiciliario, pero le permitieron recibir visitantes y predicar. La Biblia dice que Pablo pasó dos años en Roma, pero la narración termina abruptamente, sin

■ Arrastrada la nave y sin poder enfrentarse al viento, dándonos por vencidos nos dejábamos llevar.

Hechos 27, 15

El camino de Pablo hacia Roma

El viaje final de Pablo a Roma es descrito con detalle en los Hechos de los Apóstoles. Tres barcos se vieron implicados: primero uno de cabotaje, que recaló en varios puertos entre Cesarea y Myra; luego un barco de grano de camino entre Egipto y Roma, que se hundió en Malta; y, por último, otro barco de grano que se había protegido del invierno en Malta. Pablo desembarcó en Puteoli, cerca de Nápoles, y continuó su viaje hasta Roma a pie.

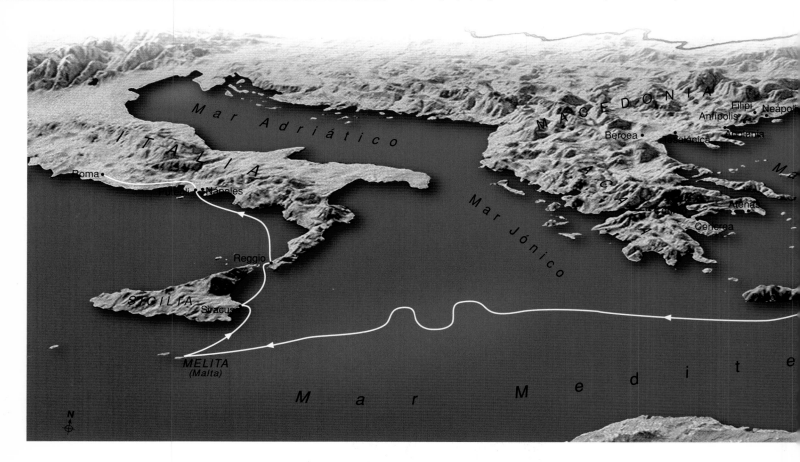

Roma ·
Puteoli · Nápoles
Reggio
SICILIA
Siracusa
MELITA
(Malta)
Mar Adriático
ITALIA
Mar Jónico
MACEDONIA
Filipi · Neápolis
Anfípolis
Beroea · Tesalónica · Apolonia
ACAYA
Atenas
Cencrea
Mar Mediterráneo
N

La tradición dice que la bahía de san Pablo es el lugar en donde Pablo y sus compañeros de viajes desembarcaron en Malta tras su naufragio. Más allá de la bahía hay una barra de arena que coincide con la descripción que aparece en el Biblia.

Myra era una de las principales ciudades de la provincia romana de Licia y fue la primera parada de Pablo en su camino hacia Roma. La zona es rica en restos de época romana y anteriores, como las tumbas del siglo IV a.C. que aparecen arriba.

decir si hubo o no juicio. Una temprana tradición cristiana dice que Pablo fue a predicar el Evangelio a España antes de regresar a Roma; pero la mayoría de los especialistas creen que murió en Roma, quizá durante la persecución de los cristianos del año 64 a.C. Como ciudadano romano, de haber sido ejecutado se habría librado de la agonía de la crucifixión en favor de la decapitación.

Lo que la Biblia sí deja claro es que la palabra de Dios alcanzó entonces el centro del mundo conocido. Jesús había predicho la difusión del Evangelio hasta el «final de la tierra» y al ayudar a conseguirlo, Pablo llevó el cristianismo a la mayor de las ciudades occidentales. Desde sus comienzos allí, el cristianismo pudo convertirse en la fe de todo el Imperio.

Puteoli

Pablo desembarcó en Puteoli (la moderna Puzzuoli), al oeste de Nápoles, en la parte final de su movido viaje por mar desde Cesarea. Luego viajó por tierra hasta Roma. El antiguo puerto de Puteoli, representado arriba en una pintura de la cercana Pompeya, era el más importante para los grandes barcos de carga que traían grano desde Alejandría, en Egipto, hasta Roma. Desde la época romana, la tierra se ha hundido, pero todavía se pueden ver restos del antiguo puerto bajo las aguas de la bahía de Nápoles.

Cabeza de mármol de Tito, el vencedor romano sobre los rebeldes judíos.

La revuelta judía

En el 66 d.C., después de años de malestar, los judíos se alzaron finalmente contra sus señores romanos; pero su rebelión fue derrotada y tuvo como consecuencia la muerte y esclavización de miles de judíos y la dispersión por el extranjero de otros muchos más. Jerusalén fue saqueada y el Templo, recientemente ampliado y embellecido por Herodes el Grande, fue destruido para no volver a alzarse nunca más. Los últimos vestigios de gobierno judío en Tierra Santa desaparecieron hasta la creación del moderno Estado de Israel en 1948.

La revuelta fue la culminación de años de creciente fricción entre los judíos y las autoridades romanas, empeorada por una sucesión de procuradores o gobernadores romanos poco eficaces, corruptos e insensibles. Muchos judíos no habían sido capaces de llevarse bien con el gobierno romano: consideraban insufrible que ellos —«el pueblo elegido por Dios» tuviera que pagar impuestos a un emperador pagano. En el año 6 a.C., cuando los romanos asumieron el control directo sobre Judea, un nacionalista llamado Judas intentó un fracasado alzamiento. A lo largo de los años siguientes, diferentes luchadores por la libertad, conocidos como celotas, continuaron creando problemas esporádicamente. El descontento se difundió especialmente durante el gobierno de Poncio Pilatos (26-36 d.C.) y en el 39-40 d.C. el emperador Calígula casi origina una revuelta al ordenar que se erigiera una estatua suya en el Templo.

La gran rebelión

Según el historiador judío Flavio Josefo, que luchó en la rebelión del año 66-70 d.C., el período de gobierno de Antonio Félix se caracterizó por el malestar cada vez más marcado en Judea y la aparición de visionarios judíos que prometían la liberación de sus opresores. Entonces, en el año 66 d.C., el último procurador, Gesio Floro, exigió oro del tesoro del Templo, haciendo que cientos de judíos protestaran en la calle. Floro envió a sus tropas para que acabaran con los disturbios y en la lucha que siguió, más de 3.500 judíos resultaron muertos.

La acción de Floro llevó a una revuelta abierta. Las guarniciones de Floro en Jerusalén y otros lugares fueron atacadas como respuesta. Cestio Galo, el gobernador de Siria, marchó sobre Jerusalén con la XII Legión para hacerse con el control de la situación. No obstante, con la llegada del invierno se retiró de la ciudad y su ejército cayó en una emboscada, resultando diezmado por las fuerzas rebeldes en Beth-horon. Entonces, a pesar de las divisiones entre los grupos rebeldes, los judíos crearon un mando militar organizado y prepararon sus defensas.

Como respuesta, el emperador Nerón envió a un experimentado combatiente llamado Vespasiano para que aplastara la rebelión con la poderosa fuerza de tres legiones (unos 60.000 hombres). Vespasiano comenzó la campaña en el 67 d.C. invadiendo sistemáticamente Galilea y capturando al comandante judío Flavio Josefo. En el ínterin estallaron luchas intestinas entre los rebeldes en Judea.

Tácticas de asedio romanas

Los romanos convirtieron el asedio en una de las bellas artes. Comenzaban rodeando la posición enemiga con una muralla y una empalizada para asegurarse de que los defensores no podían escapar. Si el enemigo se negaba a rendirse, se utilizaban varios instrumentos para romper sus defensas. Entre ellos estaban las catapultas, que lanzaban piedras o pesadas flechas de metal; escalas de asalto; y torres de asalto móviles con arietes y puentes levadizos. Cuando sus unidades avanzaban contra los muros enemigos utilizaban la formación en «tortuga», con los escudos por encima de sus cabezas para protegerse de los proyectiles de los enemigos. Pocas fortalezas enemigas eran capaces de resistir esas tácticas.

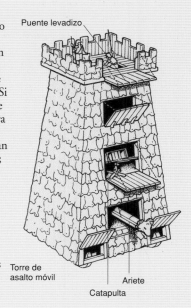

Puente levadizo

Torre de asalto móvil

Ariete

Catapulta

El arco de Tito, construido en el extremo oriental del Foro de Roma en el 81 d.C., conmemora la campaña de Tito contra los rebeldes judíos. El detalle que se ve arriba, parte del panel del relieve interno izquierdo, muestra a los soldados romanos en desfile triunfal tras el saqueo de Jerusalén por Tito. Transportan los tesoros encontrados en la ciudad, incluida la gran menorá (un candelabro de siete brazos) que había en el Templo.

Vespasiano avanzó sobre Judea, derrotando en el camino a un grupo de rebeldes samaritanos y asegurando las ciudades costeras de Jamnia y Azoto (Ashdod) para proteger sus líneas de aprovisionamiento. En el 68 d.C. limpió el valle del Jordán y la región en torno a Emaús, dejando aislada a Jerusalén. Nerón murió el año siguiente y Vespasiano se convirtió en emperador. Regresó a Roma, dejando que su hijo Tito se encargara de las operaciones en Judea. De inmediato éste puso sitio a Jerusalén con un ejército de cuatro legiones.

A pesar de su excelente posición y sus poderosas defensas, Jerusalén cayó tras un sitio de cinco meses. Los defensores se vieron debilitados, en primer lugar, por las luchas intestinas dentro de la ciudad y luego por el hambre; Josefo menciona que algunos incluso cayeron en el canibalismo. Aproximadamente el 28 de agosto del año 70 d.C., tras haber abierto brecha en las defensas, las tropas romanas penetraron en el Templo; la resistencia judía en la ciudad terminó a finales de septiembre. Tanto el Templo como la ciudad fueron saqueados y arrasados. Sin embargo, a pesar de la caída de Jerusalén, todavía continuaba habiendo bolsas de resistencia, sobre todo en la fortaleza celota de Masada, junto al mar Muerto.

La revuelta judía

La revuelta de los judíos contra el gobierno romano en el 67 d.C. se extendió rápidamente desde Jerusalén a otras ciudades. Sin embargo, el apoyo samaritano a los rebeldes fue limitado y el esfuerzo general se vio debilitado por las luchas que estallaron entre grupos rebeldes rivales, sobre todo entre los celotas y la aristocracia judía. En el año 69 d.C. los romanos habían reconquistado toda la provincia excepto la gran zona delimitada por Jerusalén, Herodium, Masada y Maquero. Las cuatro legiones de Tito convergieron sobre Jerusalén, la capital judía, en mayo del año 70 d.C.

Una moneda romana (derecha) fechada en tiempos de Tito. En el borde se puede leer la inscripción *«Iudaea capta»* («Judea capturada»). La acuñación de esas monedas y la construcción del Arco de Tito en el Foro demuestran claramente que los romanos consideraban la supresión de la rebelión judía como un hecho de armas importante. La campaña duró cuatro años y supuso varios asedios muy severos.

La caída de Masada

La resistencia judía al gobierno romano no terminó con la destrucción de Jerusalén, en el 70 d.C. El último capítulo de esa lucha tuvo lugar en Masada, una gran roca que se alza en la orilla occidental del mar Muerto. En ese lugar desolado e imponente, Herodes el Grande se construyó un magnífico palacio-fortaleza y lo equipó con fuertes defensas y grandes cisternas para almacenar agua en tiempos de asedio.

Tras la muerte de Herodes, en el 4 d.C., Masada pasó a manos de los romanos. Luego, en el 66 d.C., una decidida fuerza de celotas –luchadores por la independencia judía– vencieron a la guarnición romana y convirtieron el lugar en una base para la guerra de guerrillas. En el 73 d.C. el gobernador romano Flavio Silva decidió acabar con la resistencia de una vez por todas. Silva marchó sobre Masada con la X Legión –una fuerza de 6.000 regulares acompañados de 4.500 auxiliares–, levantó un campamento y se preparó para un largo asedio. Comenzó por construir una gran rampa de tierra y escombros para alcanzar los muros en la cima del acantilado y luego golpeó las murallas con un ariete; hicieron una brecha, pero los defensores construyeron rápidamente un muro interior de tierra y madera para taparla. Flavio ordenó a sus tropas que le prendieran fuego a ese nuevo obstáculo. Al principio el fuego se volvió contra ellos, pero luego el viento cambió de dirección y las llamas se apoderaron de la última barrera de los defensores.

Las últimas horas de los rebeldes

Mientras tanto, dentro de la fortaleza los rebeldes se dieron cuenta de que la derrota era cuestión de tiempo. Su líder, Eleazar ben Yair, convenció a su gente de que era mejor morir que ser cogidos vivos. En uno de los más siniestros y valientes episodios de la historia judía, los hombres comenzaron matando a las mujeres y los niños –cada hombre se hizo responsable de su propia familia–. Luego fueron elegidos diez hombres por sorteo para matar a los demás. Por último, un hombre fue elegido para que matar a los otros nueve y luego se clavó su propia espada.

Cuando los romanos consiguieron entrar al fin, preparados para una última y desesperada lucha, se encontraron con un fantasmagórico silencio y los cuerpos de los defensores: 960 hombres, mujeres y niños. Sólo hubo siete supervivientes: dos mujeres –una de ellas pariente de Eleazar– y cinco niños, que se habían escondido en una caverna subterránea mientras tenía lugar el suicidio en masa. Cuando aparecieron y contaron su historia, los romanos se sintieron tan impresionados por el valor de los que fueron incapaces de glorificarse de su victoria.

Sesenta años después estalló una nueva rebelión. En el año 131 d.C. un capaz líder judío llamado Simón Bar Kokhba expulsó a los romanos de Jerusalén y creó un nuevo reino de Judea. Esta segunda rebelión duró cuatro años, antes de que los romanos volvieran a apoderarse de la región con una gran matanza de gentes del pueblo. Bar Kokhba se refugió en la fortaleza de Bethther, al suroeste de Jerusalén, pero finalmente los romanos consiguieron romper sus defensas, penetraron en ella y masacraron a los defensores supervivientes.

La revuelta judía, 70-73 a.C.
El mapa muestra la localización de Masada y otras fortalezas de los rebeldes judíos en Judea durante los años finales de su primera revuelta. En el 70 d.C., las fuerzas romanas dirigidas por Tito se apoderaron de Jerusalén. En el 71-72, los romanos destruyeron los últimos centros de resistencia, incluidas las ciudadelas de Herodium y Maquero. La campaña terminó con el asedio y conquista de Masada en el 73 d.C.

Plano de la fortaleza de Masada. La gran ciudadela de Herodes estaba rodeada por un poderoso muro doble, con 30 torres y 4 puertas, que contenía 70 habitaciones. Dentro de la ciudadela había diferentes edificios, incluido un palacio occidental que combinaba las funciones administrativas, de residencia y ceremoniales. Al norte se encontraba el palacio septentrional de Herodes, que incluía su villa privada.

Los grandes baños del Palacio Norte incluían un *caldarium* o sala caliente. Las columnas soportaban el suelo y creaban un espacio por debajo —el hipocausto— por donde circulaba el aire caliente de un horno.

Vista aérea de los restos del complejo del Palacio Norte en Masada. Los tres niveles de la villa cuelgan de forma dramática sobre el acantilado. Arriba se encuentran los almacenes, los edificios administrativos y los baños.

La fortaleza de Masada

Situada sobre un afloramiento rocoso plano que se alza sobre el mar Muerto y rodeada completamente por altos acantilados, Masada debió parecerle inconquistable a sus atacantes romanos. El agua procedía de un sistema de canales y acueductos procedentes de fuentes cercanas que llenaban 12 grandes cisternas. Los romanos consiguieron finalmente romper las defensas de Masada utilizando arietes soportados por una inclinada rampa que se había construido bajo el palacio occidental.

El palacio de Herodes

En el grupo de edificios principales de la fortaleza de Masada se encuentra el gran y oficial Palacio Occidental de Herodes, así como otros palacios más pequeños para miembros de su familia y funcionarios destacados. Pero para su uso personal construyó un palacio-villa de tres niveles en la cara norte del acantilado de roca. Por encima de la villa, en la meseta de Masada, el complejo del palacio comprendía almacenes, edificios administrativos y los grandes baños. Los tres pisos de la villa estaban conectados unos con otros mediante escaleras y contenían magníficos frescos —en la actualidad todavía son visibles algunos de los del nivel inferior—. Los restos del baño privado del propio Herodes se descubrieron también en ese nivel. Desde ese palacio Herodes habría tenido unas vistas espectaculares del mar Muerto. En época de la ocupación celota de Masada, el palacio estaba en ruinas.

Apocalipsis

El libro del Apocalipsis, con su énfasis visionario y su despliegue de poderosas imágenes, es tanto el último como el más misterioso libro de la Biblia. Incluso la identidad de su autor y el momento de su redacción son inciertos.

El autor se llama a sí mismo sencillamente Juan, y es probable que no fuera el escritor del Evangelio con ese mismo nombre ni tampoco el discípulo Juan, sino más bien un miembro importante de una iglesia de Asia Menor, enviado como convicto o como exiliado a la isla de Patmos, en el Egeo. Se considera que Juan escribió el Apocalipsis durante su estancia en la isla, probablemente en torno al 95 a.C., durante el reinado del emperador romano Domiciano. El Apocalipsis alude al culto al emperador y la persecución de los cristianos, cosas ampliamente extendidas durante esa época. Otros consideran que el libro puede datar de una época anterior, quizá el reino de Nerón, que persiguió a los cristianos de Roma en el 64 a.C.

Los primeros tres capítulos del Apocalipsis adoptan la forma de epístolas a siete iglesias del Asia Menor, a las que anima, reprende y previene contra la inmoralidad. El orden de esas cartas sugiere el camino que pudiera haber tomado un mensajero que entregara el libro a esas iglesias. Desde cada uno de esos centros el mensaje pudo haber sido enviado a otros grupos cristianos de las zonas circundantes.

Estatua de mármol del emperador Domiciano.

Las siete iglesias de Asia

Juan dirigió el Apocalipsis a «las siete iglesias de la provincia de Asia»: Éfeso, Esmirna, Pérgamo, Tiatira, Sardes, Filadelfia y Laodicea. Por qué eligió a esas siete e ignoró a otras de las fundadas por Pablo no está claro. El mapa de debajo muestra el Mediterráneo oriental a finales del siglo I d.C. y la posible ruta seguida por un mensajero que entregara el Apocalipsis a esas iglesias.

La puerta de la Persecución en Éfeso. La primera carta de Juan se dirige a la iglesia de esa ciudad. Describe a la iglesia como floreciente, pero necesitada de cierta ayuda para seguir el camino adecuado. Pablo creó esta iglesia durante su tercer viaje misionero.

El mercado romano de Esmirna (Izmir, en la moderna Turquía) era un importante centro de adoración al emperador en época romana. La segunda carta de Juan estaba dirigida a la Iglesia de esta ciudad; se refiere a la amarga persecución que sufría y le envía ánimos.

La basílica de San Juan en Pérgamo, sede de la tercera iglesia a la que escribió Juan. Esta basílica fue en tiempos un templo a Serapis, pero se convirtió en iglesia en época bizantina. En época de Juan, Pérgamo era un reconocido centro relacionado con la medicina.

El altar de Zeus era uno de los muchos templos y altares paganos de Pérgamo. Juan menciona que el trono de Satán se encuentra en Pérgamo y se queja de las falsas enseñanzas y prácticas inmorales en el seno de la comunidad cristiana de la ciudad.

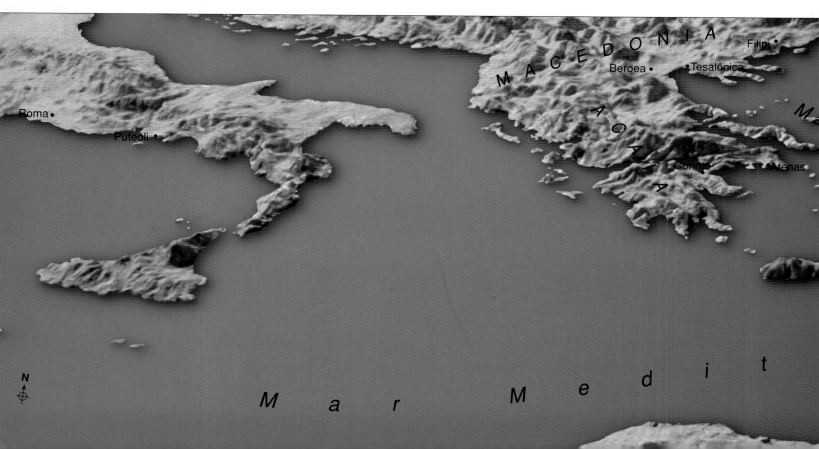

MACEDONIA

Filipi

Beroea   Tesalónica

Roma

Puteoli

ACAYA

Corinto   Atenas

Mar   Medite

Los restantes 19 capítulos del Apocalipsis presentan un relato visionario del conflicto entre las fuerzas de la luz y la oscuridad, que termina con la destrucción final de «Babilonia» (que representa a Roma) y el triunfo de Dios.

La imaginería del libro es difícil de interpretar, sobre todo para un lector moderno, pero gran parte de su simbolismo puede ser explicado mediante referencia a otras partes de la Biblia. El cordero, por ejemplo, significa Jesucristo, que estaba asociado con el cordero sacrificial de la fiesta de la Pascua. Otros símbolos se hacen evidentes por el contexto: «Babilonia» como imagen de Roma.

El Apocalipsis posee similitudes con la literatura «apocalíptica» judía, escrita sobre todo entre el 170 a.C. y el 70 d.C., un período en el que los judíos estuvieron sometidos por los seléucidas y los romanos. Esos textos intentaban darle a sus lectores la esperanza de que Dios intervendría para destruir a sus enemigos. Para evitar que

Patmos es una pequeña y rocosa isla en la costa suroccidental de Asia Menor. Juan estuvo exiliado allí, posiblemente condenado a trabajar en las minas, y se piensa que escribió el Apocalipsis en la isla. La fotografía de arriba es una imagen del Monasterio de San Juan el Teólogo que hay en la isla.

El templo de Artemisa en Sardes, ahora en ruinas. La quinta iglesia a la que se dirige Juan estaba situada en Sardes, que en tiempos fue la capital del rico Imperio lidio. Juan habla con mordacidad de los cristianos de la ciudad como si estuvieran satisfechos consigo mismos y «muertos».

Filadelfia, emplazamiento de la sexta iglesia, era un centro donde se hacía vino y se rendía culto al dios Dioniso. La fotografía muestra los restos de los muros de la ciudad. La iglesia de aquí era débil, pero se encontraba, decía Juan, a las puertas de un gran desarrollo.

los descubrieran y los persiguieran por subversivos, sus autores utilizaron un estilo lleno de imágenes y referencias reconocibles sólo por su propia gente, una especie de mensaje codificado.

Este puede ser el caso de la imaginería del Apocalipsis; por ejemplo, su uso simbólico del número 666, que es descrito como el «número de la bestia». Puede que se trate de una referencia a Nerón, puesto que en esa época las letras se utilizaban para representar números y las letras hebreas de «emperador Nerón» representan el número 666. Como feroz perseguidor que fue de la Iglesia, Nerón puede haber sido una «bestia» adecuada. Poderoso como es ese simbolismo, las imágenes dependen de la fuerza principal de la narración, que hace que el mensaje final del libro quede claro: Dios y los fieles serán los vencedores finales en el conflicto entre el bien y el mal.

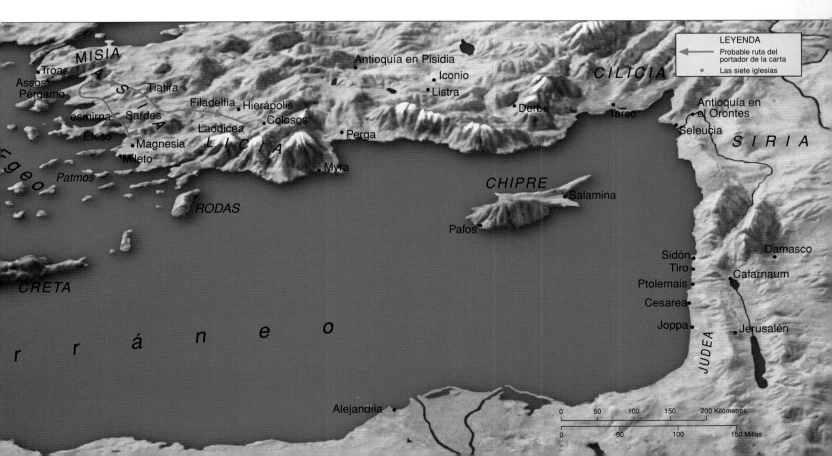

Índice

AGRADECIMIENTOS
Brian Amos, Antonia Cunningham, Friedrich Naab, Palestine Exploration Found, Patrick Mulrey, Philip Wilkinson.

CRÉDITOS FOTOGRÁFICOS

Abreviaturas: abajo *b*; centro *c*; izquierda *i*; derecha *d*; arriba *a*.

Página 1 AKG London; 2/3 Sonia Halliday Photographs; 4/5 AKG London *ai*, E T Archive *bi*; 6 Werner Neumeister *ai*, Zev Radovan *bi*, CM Dixon/Photo Resources *bc*; 6/7 Zev Radovan *bc*; 7 Zev Radovan *ai*, Sonia Halliday Photographs *ad*, *bd*; 10 Zev Radovan *ai*, Thema *ac*, Corbis UK *bd*, 11 Zev Radovan *bd*, 12 Zev Radovan *ai*, *ad*, Thema *bi*; 12/13 E T Archive *c*, 13 S. Cohen/Stockmarket *ai*; 14 Zev Radovan *ai*, E T Archive *ac*; 15 Sonia Halliday Photographs *ac*, Zev Radovan *c*; 16 Thema *ai*, *bc*, Christine Osborne/ MEP *bd*; 18/19 Erich Lessing/AKG London *fondo*; 18 *imágenes encarte*: Zev Radovan *ci*, Thema *cd*, Sonia Halliday Photographs *bd*; 19 *imágenes encarte*: Sonia Halliday Photographs *ai*, AKG London *bi*, Zev Radovan *bd*; 20 AKG London *ai*, Zev Radovan *ad*, ET Archive *bd*, 21 Zev Radovan *bd*, 22 Zev Radovan *ai*, Thema *bi*, AKG London *bd*, 23 British Museum *cd*, Scala *b*; 24 Zev Radovan *ai*, E T Archive *ad*, Thema *b*; 25 Sonia Halliday Photographs *bc*, Zev Radovan *bd*, 26 Zev Radovan *ai*, Thema *ad*, Thema *bi*, Zev Radovan *bd*; 27 Zev Radovan *bd*; 28/29 Erich Lessing/AKG London *fondo*; 28 *imágenes encarte*: Zev Radovan *ai*, *c*, Panos Pictures *b*; 29 Zev Radovan *cd*, Panos Pictures *b*; 30 Thema *ai*, Sonia Halliday Photographs *ad*, *cd*, Jean-Loup Charmet *bd*; 31 E T Archive *bd*; 32 Zev Radovan *ai*, Sonia Halliday Photographs *ad*, *cd*; 33 E T

Archive *cd*; 34 Zev Radovan *ai*, Thema *bd*; 35 Thema *ai*, Zev Radovan *ad*; 36 Zev Radovan *ai*, *b*; 37 Zev Radovan *b*; 38/39 Marcello Bertinetti/Archivio White Star *fondo*; 38 *imágenes encarte:* Thema *a*, Zev Radovan *b*; 38/39 AKG London *c*, Zev Radovan *cd*, *bd*; 40 Zev Radovan *ai*, *c*, *bd*, Thema *ac*; 42 Zev Radovan *ai*; 42/43 Thema; 42 AV Foto Fasching Studio *b*; 43 Zev Radovan *ai*; 44 Zev Radovan *ai*, 44/45 E T Archive *bc*; 45 Sonia Halliday *ai*, Hulton-Getty Images *ad*; 46 Zev Radovan *ai*, *bd*; 46/47 E T Archive *ai*; 47 Zev Radovan *bd*, Barry Seare/Sonia Halliday Photographs *bi*, Zev Radovan *cd*; 48/49 Zev Radovan; 50 Zev Radovan *ai*, *ad*, AV Foto Fasching Studio *bi*, Zev Radovan *b*; 52 Zev Radovan *ai*, *ci*, AKG Londoner; 54 Zev Radovan *ai*, Thema *ad*; 55 Zev Radovan *bc*; 56/57 Zev Radovan *fondo*; 56 *imágenes encarte:* Thema *a*, Zev Radovan *c*; 57 *imágenes encarte:* Zev Radovan *bc*, Thema *bd*; 58 AKG London *ai*, *b*, *c*; 59 Thema *d*; 60 AKG London *ai*, Zev Radovan *c*, *b*; 61 Zev Radovan *ai*, Sonia Halliday Photographs *ad*; 62 Zev Radovan *ai*; 62/63 Zev Radovan *c*; 63 AKG London *ad*; 64 AKG London *ai*, Zev Radovan *ad*; 65 Zev Radovan *ai*, *ad*; 66/67 AKG London; 68 Zev Radovan *ai*, *ad*, Thema *ac*; 69 Sonia Halliday Photographs *ai*, *ac*, Christine Osborne/MEP *ad*; 70 Erwin Böhm *ai*, Zev Radovan *ad*, Christine Osborne/MEP *bd*; 71 Zev Radovan *bi*, *bd*; 72 Zev Radovan *ai*, Sonia Halliday Photographs *c*, AKG London *cd*; 73 Sonia Halliday Photographs *bd*; 74 Zev Radovan *ai*, AKG London *bc*, E T Archive *bd*; 74/75 Thema; 75 Zev Radovan *bd*; 76 Zev Radovan *ai*, *ad*; 77 Rijks Universiteit Leiden, Universiteitsbibiiotheek (Perizonius F17, f9v); 78/79 Zev Radovan *ai*; 80 Sonia Halliday Photographs *ai*, Zev Radovan *ci*, *cd*, Robert Harding Picture Library *c*, Thema *bc*; 81 AKG London; 82 Zev

Radovan *ai*, Thema *ad*; 83 Christine Osborne/MEP; 84 Robert Harding Picture Libdary *ai*, Galaxy Picture Library *bi*; 84/85 Sonia Halliday Photographs; 85 Zev Radovan *ac*, *bi*, Hulton-Getty Images *ad*, Sonia Halliday Photographs *bc*; 86 Thema *ai*; 86/87 Sonia Halliday Photographs; 87 Zev Radovan *ci*, *c*, *bi*, *bd*, AV Foto Fasching Studio *ai*, Katz/Mansell Collection *bc*; 88 Robert Harding Picture Library *ai*; 88/89 Sonia Halliday Photographs; 89 Zev Radovan *ad*, *c*, *bc*, *bd*, Sonia Halliday Photographs *fondo*; 90 *imágenes encarte:* Sonia Halliday Photographs *ci*, Werner Neumeister *c*, Zev Radovan *b*; 91 Sonia Halliday Photographs *cd*, Zev Radovan *bd*; 92 Zev Radovan *ai*, Werner Neumeister *ac*; 93 Sonia Halliday Photographs *ac*, Werner Neumeister *ad*, Zev Radovan *bd*; 94 Zev Radovan *ai*, *bi*, Panos Pictures *ad*; 94/95 Sonia Halliday Photographs; 95 Robert Harding Picture Library *ai*, Zev Radovan *ac*, *ad*; 96/97 Robert Harding Picture Library *fondo*; 96 *imágenes encarte:* Scala/ Museo di San Marco, Florence *ci*; 97 Thema *cd*, Christine Osborne/MEP *bd*; 98 Zev Radovan *ai*, *cd*, Werner Neumeister *bi*; 98/99 Thema; 99 Sonia Halliday Photographs *ac*, *ad*; 100 Zev Radovan *ai*, *ad*; 101 Sonia Halliday Photographs *ac*, Zev Radovan *ad*; 102 Zev Radovan *ai*, Sonia Halliday Photographs *ad*; 102/103 Sonia Halliday Photographs; 103 Sonia Halliday Photographs; 104/105 Sonia Halliday Photographs *fondo*; 104 *imágenes encarte:* Robert Harding Picture Library *ci*, Sonia Halliday Photographs *bc*, *bd*, Thema *cd*, Robert Harding Picture Library *bd*; 106 Zev Radovan; 107 Thema *ai*; 108 Sonia Halliday; 109 Zev Radovan *ai*, Werner Neumeister *ac*, *bci*, *bcd*, *bd*, Robert Harding Picture Library *acd*, *bc*, Sonia Halliday *ad*, *bi*; 110 Sonia Halliday Photographs *ai*, Zev Radovan *bd*; 110/111 AKG London; 111

Sonia Halliday Photographs *cd*, Zev Radovan *bd*; 112 Sonia Halliday Photographs *ai*, *c*; 112/113 Sonia Halliday Photographs; 113 ET Archive *ac*, Zev Radovan *ad*; 114 Zev Radovan *ai*, Sonia Halliday *ad*; 115 Sonia Halliday Photographs *a*, Zev Radovan *cd*, AKG London *bc*; 116 Robert Harding Picture Library *ai*, Sonia Halliday Photographs *bi*, *bd*; 116/117 Bridgeman Art Library/Bibliothèque Nationale, París (Lat 1. f.386v); 118 E T Archive *ai*, CM Dixon/Photo Resources *ac*, Zev Radovan *c*, AKG London *cb*, Fotomas Index *bc*; 119 CM Dixon/Photo Resources *ci*, E T Archive *cd*; 120 AKG London *ai*; 120/121 Sonia Halliday Photographs; 121 Zev Radovan *ai*, *ad*, Sonia Halliday Photographs *cd*; 122 Zev Radovan *ai*, *bd*, Sonia Halliday *bc*; 123 Zev Radovan *ci*, *bd*, Sonia Halliday *c*; 124 Sonia Halliday Photographs *ai*; 124/125 Sonia Halliday Photographs; 125 Sonia Halliday Photographs *c*, Zev Radovan *cd*; 126 Thema *ai*, *bi*, *bc*, Sonia Halliday Photographs *bd*; 127 Thema; 128 Zev Radovan *ai*, *ad*; 128/129 E T Archive; 129 Zev Radovan *ac*, Sonia Halliday Photographs *ad*, E T Archive *bd*; 130/131 Zev Radovan; 132/133 Erich Lessing/AKG London *fondo*; 132 *imágenes encarte:* Sonia Halliday Photographs *ci*, *c*, *bd*, Zev Radovan *cd*, Christine Osborne/MEP *bc*; 134 Sonia Halliday Photographs; 135 Sonia Halliday *ai*, Thema *ac*, *ad*; 136 Zev Radovan *ai*; 136/137 Erich Lessing/AKG London; 137 Zev Radovan *bd*; 138 Zev Radovan; 139 Zev Radovan *ac*, Sonia Halliday *ad*; 140 AKG London *ai*, Sonia Halliday Photographs *ac*, *ad*, *c*, *cd*; 141 Sonia Halliday Photographs.